Receitas Naturebas

PARA AS CRIANÇAS E PARA TODA A FAMÍLIA

Mariana Cenci Weckerle
@gurianatureba

Receitas Naturebas

PARA AS CRIANÇAS E PARA TODA A FAMÍLIA

L&PM EDITORES

Texto de acordo com a nova ortografia.

Capa: Mariana Cenci Weckerle.
Ilustração: iStock
Ilustrações do miolo: iStock e arquivo da autora
Revisão: L&PM Editores

1ª edição: primavera de 2020
3ª edição: primavera de 2022

CIP-Brasil. Catalogação na publicação
Sindicato Nacional dos Editores de Livros, RJ.

W395r   Weckerle, Mariana
   Receitas naturebas : para as crianças e para toda a família / Mariana Weckerle. - 3. ed. - Porto Alegre [RS]: L&PM, 2022.
   120 p. : il. ; 21 cm.

   ISBN 978-65-5666-100-1

   1. Culinária para crianças. 2. Alimentos naturais. 3. Hábitos alimentares. 4. Receitas. I. Título.

20-66771   CDD: 641.5123
                  CDU: 641.562

Meri Gleice Rodrigues de Souza - Bibliotecária - CRB-7/6439

© Mariana Cenci Weckerle, 2020.

Todos os direitos desta edição reservados a L&PM Editores
Rua Comendador Coruja, 314, loja 9 – Floresta – 90.220-180
Porto Alegre – RS – Brasil / Fone: 51.3225.5777

Pedidos & Depto. Comercial: vendas@lpm.com.br
Fale conosco: info@lpm.com.br
www.lpm.com.br

Impresso no Brasil
Primavera de 2022

SUMÁRIO

Mari, a guria natureba, 10
Objetivo deste livro, 11
Minhas mini-inspirações, 13
Utensílios de cozinha, 14
Ingredientes que você sempre deve ter em casa, 16
Entendendo os selinhos, 17
#dicasdaMari, 18
Como higienizar os alimentos, 22
Seu filho está recusando algo que ele adorava?, 23

Café da manhã e lanches, 27
Mingau superpoderoso, 28
Creminho com frutas da floresta, 29
Panqueca de maçã, 30
Panqueca de laranja, 31
Leite de castanha-de-caju e leite de aveia, 32
Chocolate quente, 33
Panqueca de chocolate, 34
Frutinhas com pasta de nuts, 35
Danoninho caseiro, 36
Creme verde do Hulk, 37
Cookie de amêndoas, 38
Bolachinha de amendoim, 39

Bolinhos e cupcakes sem açúcar, 41
Bolinho de milho, 43
Bolo de maçã, 44
Bolo de chocolate, 45
Bolo de coco, 46
Banana bread, 47

Bolinhos e cupcakes com açúcar, 49
Brownie de chocolate, 50
Bolo de banana com iogurte, 51
Bolo de caneca, 52
Pãozinho de mel, 53
Bolo de coco com laranja, 54
Bolo de maçã com limão, 55
Bolo de cenoura, 56

Docinhos saudáveis, 59

Brigadeiro natureba, 60
Brigadeiro de cenoura, 61
Nutella caseira saudável, 62
Docinho de nutella com laranja, 63
Banana grelhada com nutella, 64
Abacaxi grelhado com canela, 65
Mousse de maracujá, 66
Chandelle de chocolate, 67

Receitas salgadas, 69
Torradinha de queijo, 70

Pão de queijo laranjinha, 71
Bolinho de milho, 72
Pãozinho verde, 73
Arroz de açaí, 74
Arroz de couve-flor, 75
Hummus rosa pink, 76
Queijinho vegano, 77
Nuggets saudáveis, 78
Almôndegas de frango, 79
Bolinho de siri, 80
Batatinha com limão, 81

Geladinhos e refrescantes, 83
Picolé de pitaya, 84
Sorvete de manga, 85
Açaí caseiro, 86
Picolé de abacaxi com coco, 87
Sorvete de banana com limão, 88
Chicabon natureba, 89

Pode ou não pode, nutri?, 90
Mel, 92
Melado, 92
Gorduras, 93
Azeite de oliva, óleo de coco e manteiga, 94
Sal e temperos, 95
Pimenta, 95

Orgânicos e não orgânicos, 96
Vitamina C, 98
Sucos, 98
Frutas, 99
Água, 100
Refrigerantes, 101
Iogurtes, 101
Fibras, 102
Sopas, 102
Bisnaguinha, 104
Bolacha água e sal, 105
Bolacha Maria, 105
Chocolate, 106
Gelatina, 107
Açúcar, 108
Adoçantes, 109
Café, 109
Pasta de oleaginosas, 110
Leite de vaca e derivados, 112
Fórmula, leite em pó e composto lácteo, 113
Peixes, 114
Carnes, 114

Minhas redes sociais, 116
Agradecimentos, 118

MARI, A GURIA NATUREBA

Sou arquiteta e desde bem jovem sou apaixonada e superenvolvida com a alimentação saudável. Nem sempre foi assim, claro! Mas aos poucos, e depois de mergulhar nessa gastronomia colorida, saudável e deliciosa, me encantei de vez!

Foi assim que larguei a arquitetura para trabalhar com o que acredito ser meu grande dom e minha missão de vida: espalhar saúde, alegria e sabor por onde eu passo.

Me acompanhe nas redes sociais:
Instagram @gurianatureba
YouTube: Guria Natureba
www.sowgn.com.br

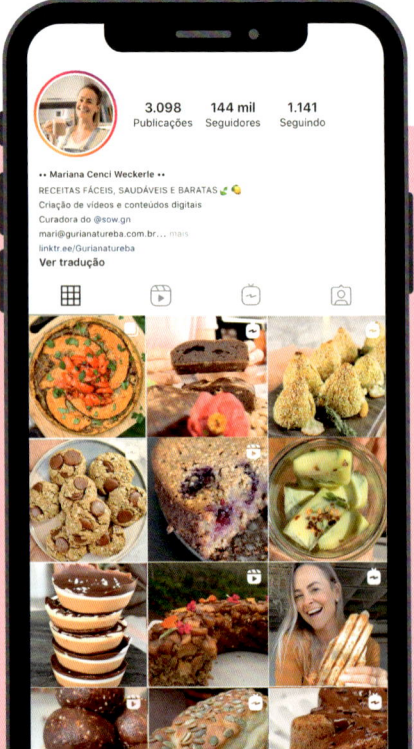

OBJETIVO DESTE LIVRO

A chegada de uma criança muda muita coisa na vida de uma família, desde a rotina do dia a dia até as escolhas alimentares da família toda! E cuidar de uma criança leva muito tempo, certo?

Embora a preocupação dos pais seja proporcionar alimentos de qualidade aos seus bebês, sabemos que sobra pouco tempo para ir à cozinha. E o que mais falta para papais e mamães nem é tempo, é **CRIATIVIDADE** na hora de cozinhar!

Ao longo dos anos, percebi que as minhas receitas entraram na rotina alimentar de diversas famílias e com muita facilidade! Foi pensando nisso que o livro nasceu!

Selecionei várias **DICAS** e **RECEITAS PRÁTICAS** para que **A FAMÍLIA TODA** tenha uma rotina mais saudável e coma com muito mais prazer!

Estão preparados pra se deliciarem comigo?

MINHAS MINI-INSPIRAÇÕES

Essas são minhas duas maiores inspirações para o desenvolvimento deste livro: a Manu e o Ulisses! Dizem que quando nasce o bebê, nasce uma mãe, né? Então, garanto pra vocês que tias e dindas nascem na mesma hora!

MANUELA

A Manu tem um aninho e dez meses e já experimentou algumas receitas minhas! Ela adora sorvete de banana com amendoim e limão! Eu não sei quem gosta mais, se é ela, que come as delícias, ou se sou eu, que fico babando toda vez que recebo uma foto dessa fofura!

Nessa foto o Ulisses estava com um dia de vida! Por enquanto, só toma o leite da mamãe! E como mama essa criança! Mas, em breve, poderei colocar meus dotes culinários em prática e deixar a vida do meu sobrinho ainda mais saborosa e lambusada! Não vejo a hora disso acontecer!

ULISSES

Em homenagem a eles nasceu o meu primeiro livro! **Cada receita foi temperada com um tantinho do amor que eu sinto por esses dois.** Espero que os filhos de vocês recebam esse amor através das minhas receitas!

UTENSÍLIOS DE COZINHA

Alguns utensílios podem jogar a nosso favor no preparo de uma receita! Sugeri uma série de itens fáceis de encontrar e que terão muita utilidade no dia a dia. Também citamos alguns que você não precisa ter ou usar no preparo dos alimentos do seu filho. Confira abaixo as sugestões:

XÍCARAS E COLHERES MEDIDORAS
São nossos maiores aliados na cozinha! Xícaras e colheres caseiras na maioria das vezes são grandes demais e alteram toda a estrutura de uma receita. Invista em xícaras e colheres medidoras e use-as!

FORMINHAS DE SILICONE
As formas de silicone são práticas pois podem ir ao freezer, ao forno e à geladeira. Invista em forminhas divertidas, com formatos variados. Isso estimula a criança a experimentar novos alimentos.

FORMINHAS DE PICOLÉ
Tendo forminhas de picolé em casa, sempre que você fizer uma receita gostosa, como vitaminas e sorvetes, lembre-se de preparar uma quantidade maior. O que sobrar pode se transformar em um delicioso picolé. Criança ama receitas geladinhas!

MICROPLANE
Utensílio perfeito pra retirar as raspas das cascas de algumas frutas como laranja, limão, bergamota... Prefira fazer isso com frutas orgânicas. As raspas são muito aromáticas e ajudam a saborizar suas receitas!

LIQUIDIFICADOR
O liquidificador é indispensável no preparo de bolos, vitaminas, sorvetes e outras receitas. Mas evite usá-lo para triturar os alimentos do seu filho. Prefira oferecer alimentos cortadinhos ou amassados.

POTES
Prefira potes de vidro para armazenar os alimentos na geladeira! Evite os de plástico, mesmo que sejam BPA free. Reutilize vidros de conserva, se preferir. Os potes de vidro não pegam cheiro e são ecologicamente corretos.

REDINHAS
Atenção: evite as redinhas. Elas impedem que seu filho ingira as fibras dos alimentos. Prefira oferecer os alimentos íntegros.

INGREDIENTES QUE VOCÊ SEMPRE DEVE TER EM CASA

- **Açúcares:** quanto mais escuros, mais saudáveis são. Prefira sempre usar açúcar mascavo ou de coco. Caso seu filho ainda não esteja consumindo açúcar, utilize as diversas opções de frutas secas que existem no mercado.

- **Aveia em flocos médios e farelo de aveia:** eu dispensaria a farinha de aveia, pode pesar as receitas. Não acho uma boa opção.

- **Banana:** ajuda a adoçar bolos e doces.

- **Cacau:** prefira sempre a versão 100% cacau, sem adição de açúcar.

- **Canela:** ajuda a adoçar e aromatizar as receitas.

- **Oleaginosas:** castanhas e pastas de nuts, de amendoim, de amêndoas, de caju...

- **Farinha de arroz**

- **Fermento em pó**

- **Frutas desidratadas:** damasco, uva-passa branca e tâmara.

- **Mel e melado**

- **Óleo de coco**

ENTENDENDO OS SELINHOS

Este livro indica as idades ideais para iniciar a oferta de cada receita. Porém, características e condições individuais da criança devem ser avaliadas e respeitadas. Siga sempre as recomendações de um pediatra ou nutricionista.

 **TEMPO DE PREPARO:** Nos preocupamos em escolher receitas de preparo rápido para que você não fique muito tempo na cozinha e possa ficar mais com seus filhos.

 **PORÇÕES:** Calculamos as porções médias de cada uma das receitas para você poder ter uma ideia aproximada do rendimento total.

 **SEM LEITE:** Recomenda-se que o leite de vaca não entre na alimentação do bebê antes dos 12 meses. Por isso, várias das receitas têm leite vegetal nos ingredientes.

 SEM GLÚTEN: Todas as receitas são sem glúten, essa é uma característica da gastronomia da @gurianatureba.

 RECEITA VEGANA: Algumas das receitas são veganas! Fique de olho nesse selinho.

 **IDADE RECOMENDADA:** As recomendações das idades indicadas nas receitas foram sugeridas pela nutricionista Carolina Vaccaro (@nutricarolinavaccaro) após análise dos ingredientes indicados em cada uma delas.

#DICASDAMARI

AVEIA: Misture ½ xícara de aveia em flocos grossos com ⅔ xícara de água fria e armazene na geladeira. A aveia vai hidratar e a digestão do seu filho ficará mais fácil! Use em panquecas, sucos ou vitaminas, nas mesmas quantidades que você usaria *in natura*.

CHIA: Antes de incluir a chia nas refeições do seu filho, hidrate-a. Em um copo, coloque 1 colher de sopa de chia para 4 colheres de sopa de água morna e misture bem para que as sementinhas se separem.

Aguarde aproximadamente três minutos e você terá as sementes hidratadas. Esta quantidade de chia pode ser usada num período de dois dias. Muito cuidado com essa semente! Não ofereça chia em excesso para o seu filho. Usar a chia hidratada é muito fácil, adicione em receitas como mingaus, iogurtes, vitaminas...

LINHAÇA: Tenha farinha de linhaça em casa. Rica em fibras e ômegas, essa farinha pode ser usada em panquecas substituindo a aveia. Mas, cuidado, prefira comprar a semente de linhaça inteira, triture no liquidificador e guarde em um pote fechado na geladeira. Dura 90 dias.

LIMÃO: Experimente pingar gotinhas de limão por cima das frutas mais doces, como banana, manga, melancia e mamão! O sabor da fruta fica ainda mais gostoso. Você também pode adicionar gotas de limão em sorvetes e batidas!

BANANA: As bananas amadureceram e não deu tempo de usá-las? Você pode fazer bolos, danette saudável, picolés, sorvetes ou congelar! Congele-as sem a casca. Eu sempre tenho algumas bananas congeladas no freezer para fazer sobremesas, picolés, sorvetes e vitaminas.

LEITE VEGETAL: Tenha sempre leite vegetal na geladeira. Ele deixa receitas como as vitaminas, mingaus e milk-shakes ainda mais cremosos. Além disso, você pode usar leite vegetal em bolos, cupcakes e brownies, sempre que a receita pedir leite! Aqui no livro você vai encontrar algumas receitas de leites vegetais.

FRUTAS PARA ADOÇAR: As frutas desidratadas são ótimas substitutas pro açúcar! Isso mesmo, podem ser usadas em bolos, cookies, sorvetes, mousses... E essa dica serve pra adultos e pra crianças! Sempre que você for usar frutas desidratadas, certifique-se de que ela esteja macia. Assim, vai triturar com mais facilidade.

Algumas frutas que você pode usar: damascos, tâmaras, bananas-passas, cranberries, uvas-passas pretas e brancas... Lembre-se: sempre que usar frutas desidratadas no lugar do açúcar, seu bolo ficará com textura mais úmida.

CACAU: É muito importante que você leia o rótulo quando for comprar cacau em pó. Para crianças, ele deve ser 100% cacau, sem adição de nenhum açúcar ou adoçante. Evite comprar cacau em pó a granel e opte por marcas nas quais você confia.

OLEAGINOSAS: São fonte de gorduras boas e estão presentes em várias das minhas receitas. Apenas evite comprá-las a granel e quebradas. Prefira as oleaginosas embaladas a vácuo e inteiras. Isso garante a validade do alimento cuja gordura oxida mais rapidamente depois de partido.

RASPINHAS DE LARANJA E LIMÃO: Tem laranja e limão em casa? Use um ralador para retirar a casca! Estas raspinhas servem pra aromatizar as panquecas, iogurtes, picolés, sorvetes, bolos, mingaus... Pode raspar e armazenar na geladeira. Dura dois dias em pote bem fechado.

COMO HIGIENIZAR OS ALIMENTOS

Anna Carolina e Priscila @nutriped

O controle microbiológico é muito importante e devemos higienizar todas as verduras, legumes e frutas consumidos com a casca. Siga este passo a passo:

- Lave bem os alimentos em água corrente, folha por folha;
- prepare uma solução com 1 colher de sopa de água sanitária para 1 litro de água. Só utilize estes ingredientes, nada mais;
- deixe os alimentos imersos nessa solução por quinze minutos;
- enxágue em água filtrada e corrente;
- seque bem os alimentos para conservar por mais tempo na geladeira;
- vinagre não mata os micro-organismos.

DICA EXTRA

Leve as crianças para a cozinha. A limpeza dos vegetais pode virar uma brincadeira se você fizer um jogo de adivinhações! Além disso, esse é o momento perfeito para a criança conhecer os alimentos no formato íntegro.

SEU FILHO ESTÁ RECUSANDO ALGO QUE ELE ADORAVA?

DICA #1

Procure não conversar sobre alimentação na mesa durante o momento de estresse. Isso pode causar ainda mais problemas. Debata sobre o assunto e incentive seu filho a experimentar em um momento tranquilo.

DICA #2

Um jeito divertido de aumentar o apetite e interesse das crianças é montar desenhos e formatos nos pratinhos. Experimente na próxima vez! Assim, comer vira um momento de descobertas e criatividade.

PREPAREM O CELULAR
#naturebinhas

Tchanananã...

Chegou o momento mais aguardado! Hora de arregaçar as mangas, separar os ingredientes e registrar todas as etapas! Vou amar receber fotos das minhas receitas feitas por vocês!

Você pode enviar lá pro meu Instagram @gurianatureba e marcar as hashtags #receitasnaturebas e #livrodaGN

CAFÉ DA MANHÃ E LANCHES

Nada melhor do que começar o dia se alimentando bem e com bastante energia! Por isso, separei algumas receitinhas que darão a dose certa de carinho e amor que seu filho merece.

MINGAU SUPERPODEROSO

Ingredientes:
- 3 colheres de sopa de aveia em flocos médios
- ½ xícara de leite vegetal caseiro
- 2 ameixas secas picadinhas
- 1 colher de chá de cacau 100%
- uma pitada de canela em pó
- framboesas frescas

8 MIN

1 PORÇÃO

+8 MESES

Modo de preparo: Em uma caneca ou panela pequena antiaderente, coloque os ingredientes e vá mexendo em fogo baixo para que tudo cozinhe bem lentamente. Você vai perceber que a aveia vai hidratando e aumentando de volume. Cozinhe por cerca de 5 minutos e, se precisar, adicione mais leite vegetal. Sirva morninho.

Quer fazer algumas trocas?
- Adicione mais cacau em pó na receita.
- Troque as ameixas por qualquer outra fruta seca.
- Use leite comum se preferir.

CREMINHO COM FRUTAS DA FLORESTA

Ingredientes:
- 3 colheres de sopa de aveia em flocos médios
- ½ xícara de leite vegetal caseiro
- 1 banana amassada grosseiramente
- 1 colher de café de canela em pó
- amoras frescas

 8 MIN

 1 PORÇÃO

Modo de preparo:
Em uma caneca ou panela pequena antiaderente, coloque os ingredientes e vá mexendo em fogo bem baixo, para que tudo cozinhe lentamente. Você vai perceber que a aveia começa a hidratar e aumentar de volume. Sirva morninho com frutas por cima.

 +8 MESES

Quer fazer algumas trocas?
- Adicione cardamomo em pó ou gengibre.
- Use uma maçã ralada no lugar da banana.
- Adicione pasta de nuts no final.

PANQUECA DE MAÇÃ

Ingredientes:
- 1 ovo
- 1 maçã ralada
- 1 colher de sopa de uva-passa branca
- 1 colher de sopa de farinha de aveia
- 1 colher de café de canela

10 MIN

1 PORÇÃO

+8 MESES

Modo de preparo:
Coloque o ovo, a maçã, a uva-passa e a canela em um mixer ou liquidificador. Bata até virar um creme. Adicione a farinha, bata mais um pouco. Aqueça uma frigideira, unte e então despeje a massa. Se quiser fazer minipanquecas, coloque pequenas quantidades no centro da frigideira, vire quando a parte de baixo estiver firme e descolando. Ficam gostosas tanto quentes como frias.

Quer fazer algumas trocas?
- Troque a canela por cravo em pó.
- Use farinha de nozes, amêndoas ou castanhas se preferir.

PANQUECA DE LARANJA

Ingredientes:
- 1 ovo
- 1 banana
- raspas de 1 laranja
- 1 colher de café de canela
- 1 colher de sopa de farelo de aveia

Modo de preparo:
Amasse a banana e misture com todos os ingredientes. Aqueça uma frigideira, unte com óleo de coco, então despeje a massa. Se você quiser fazer minipanquecas, coloque pequenas quantidades no centro da frigideira e vire quando a parte de baixo estiver firme e descolando. Empilhe as panquequinhas! Ficam gostosas tanto quentes como frias.

10 MIN

1 PORÇÃO

+8 MESES

Quer fazer algumas trocas?
- Retire a canela sem prejuízo.
- Use farinha de amêndoas se preferir.

LEITE DE CASTANHA-DE-CAJU

10 MIN

1 PORÇÃO

+8 MESES

Ingredientes:
- 1 xícara de castanha-de-caju crua e sem sal, hidratada por 6 horas
- 3 xícaras de água

Modo de preparo:
Bata no liquidificador por 2 minutos e armazene em uma garrafa de vidro na geladeira. Dura 5 dias na geladeira, e você pode usar para fazer todas as receitas desse livro. Esse é um dos meus preferidos pelo sabor e textura.

LEITE DE AVEIA

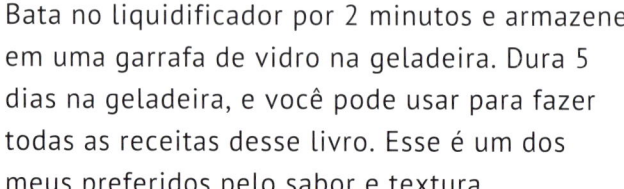

Ingredientes:
- 1 colher de sopa de aveia
- 1 xícara de água fria

Modo de preparo:
Bata no liquidificador por 1 minuto e armazene em uma garrafa na geladeira. Dura 5 dias, e você pode usar para fazer bolos, vitaminas, mingaus e outras receitas.

CHOCOLATE QUENTE

Ingredientes:
- 1 xícara de cacau em pó 100%
- 1 xícara de açúcar de coco
- leite vegetal caseiro

2 MIN

300 gramas

+24 MESES

Modo de preparo:
Misture os ingredientes secos e guarde em um pote de vidro. Esse é o achocolatado que você poderá usar sempre que quiser. No liquidificador bata uma xícara de leite vegetal com duas colheres de sopa do achocolatado. Aqueça em uma caneca em fogo baixo e sirva.

Quer fazer algumas trocas?
- Troque o açúcar de coco pelo mascavo.
- Altere a quantidade de cacau e açúcar até encontrar a mistura que o seu filho mais goste.

PANQUECA DE CHOCOLATE

Ingredientes:
- 1 ovo
- 1 banana madura
- 1 colher de chá de cacau em pó 100%
- 1 colher de sopa de farinha de linhaça ou de aveia

Modo de preparo:
Coloque os ingredientes, exceto a farinha, em um mixer ou liquidificador. Adicione a farinha, bata mais um pouco. Aqueça uma frigideira, unte com um pouco de óleo de coco, para não grudar, e então despeje a massa. Quando um lado estiver cozido e firme, vire para cozinhar o outro lado. Sirva bem quentinha. Esta receita também pode virar cupcakes!

10 MIN

1 PORÇÃO

+8 MESES

Quer fazer algumas trocas?
- Adicione canela em pó se quiser.
- Retire o cacau sem prejuízo.
- Use farinha de amêndoas se preferir.

FRUTINHAS COM PASTA DE NUTS

Ingredientes:
- 1 colher de sopa de pasta de amendoim ou pasta de amêndoas
- 1 colher de sopa de suco de maçã, laranja espremida ou bergamota espremida

Modo de preparo:
Misture os ingredientes em um pratinho e sirva com pedaços de frutas como maçã, banana, kiwi ou pera...

Quer fazer algumas trocas?
- Essa diluição melhora muito a consistência da pasta de nuts e é mais fácil de consumir.
- Adicione uma pitadinha de canela se seu filho gostar.

 5 MIN

 1 PORÇÃO

 +8 MESES

DANONINHO CASEIRO

Ingredientes:
- 1 banana
- 1 batata-doce pequena cozida
- 1 xícara de morangos picados
- 3 colheres de sopa de uva-passa branca

Modo de preparo:
Mergulhe a uva-passa branca em um copinho com água fervente e aguarde 10 minutos. Então, coloque todos os ingredientes no liquidificador ou mixer e bata muito bem. Leve ao freezer ou geladeira, por 1 hora, mais ou menos, e sirva bem fresquinho.

Quer fazer algumas trocas?
- Adicione uma colher de chá de chia.
- Use inhame cozido ao invés de batata-doce.

6 MIN

2 PORÇÕES

+8 MESES

CREME VERDE DO HULK

Ingredientes:
- 1 abacate maduro
- 2 bananas maduras
- 1 colher de chá de suco de um limão ou uma laranja espremida

Modo de preparo:
Misture os ingredientes em um mixer ou em um miniprocessador para que a mistura fique bem lisinha. Se você quiser fazer quantidades maiores coloque em forminhas de cupcake ou de picolé. Assim você terá um creme para consumir na hora e uma receita gelada pra outro momento.

Quer fazer algumas trocas?
- Use avocado ao invés de abacate.
- Se preferir, use banana congelada.
- Adicione uma colher de chá de chia.

6 MIN

1 PORÇÃO

+8 MESES

COOKIE DE AMÊNDOAS

Ingredientes:
- ½ xícara de pasta de amêndoas
- 2 colheres de sopa de farinha de linhaça
- ¼ xícara de água morna
- ¼ xícara de açúcar mascavo
- ½ colher de chá de fermento químico
- 2 colheres de sopa de chocolate 70%

20 MIN

6 PORÇÕES

+24 MESES

Modo de preparo:
Preaqueça o forno a 180°C. Hidrate a farinha de linhaça na água. Assim que a mistura estiver gelatinosa, misture com os demais ingredientes. Unte uma forma e coloque a massa em bolinhas com a ajuda de uma colher de sorvete. Asse por cerca de 15 minutos. Eles ficam firmes depois que esfriam.

Quer fazer algumas trocas?
- Use pasta de qualquer outra castanha.
- Troque a misturinha de linhaça e a água por um ovo.

BOLACHINHA DE AMENDOIM

Ingredientes:
- 1 xícara de farinha de amendoim ou amendoim triturado
- 4 colheres de sopa de açúcar mascavo
- 1 clara de ovo
- canela em pó

25 MIN

6 PORÇÕES

+24 MESES

Modo de preparo:
Preaqueça o forno a 180°C. Misture todos os ingredientes em uma bacia até que tudo vire uma massa homogênea. Em uma forma untada coloque a massa aos poucos, formando as bolachinhas com a ajuda de uma colher, e asse por 15 a 20 minutos. Depois que esfriam, ficam firmes e crocantes.

Quer fazer algumas trocas?
- Troque a farinha de amendoim por farinha de outra oleaginosa como castanha-de-caju, nozes ou amêndoas.

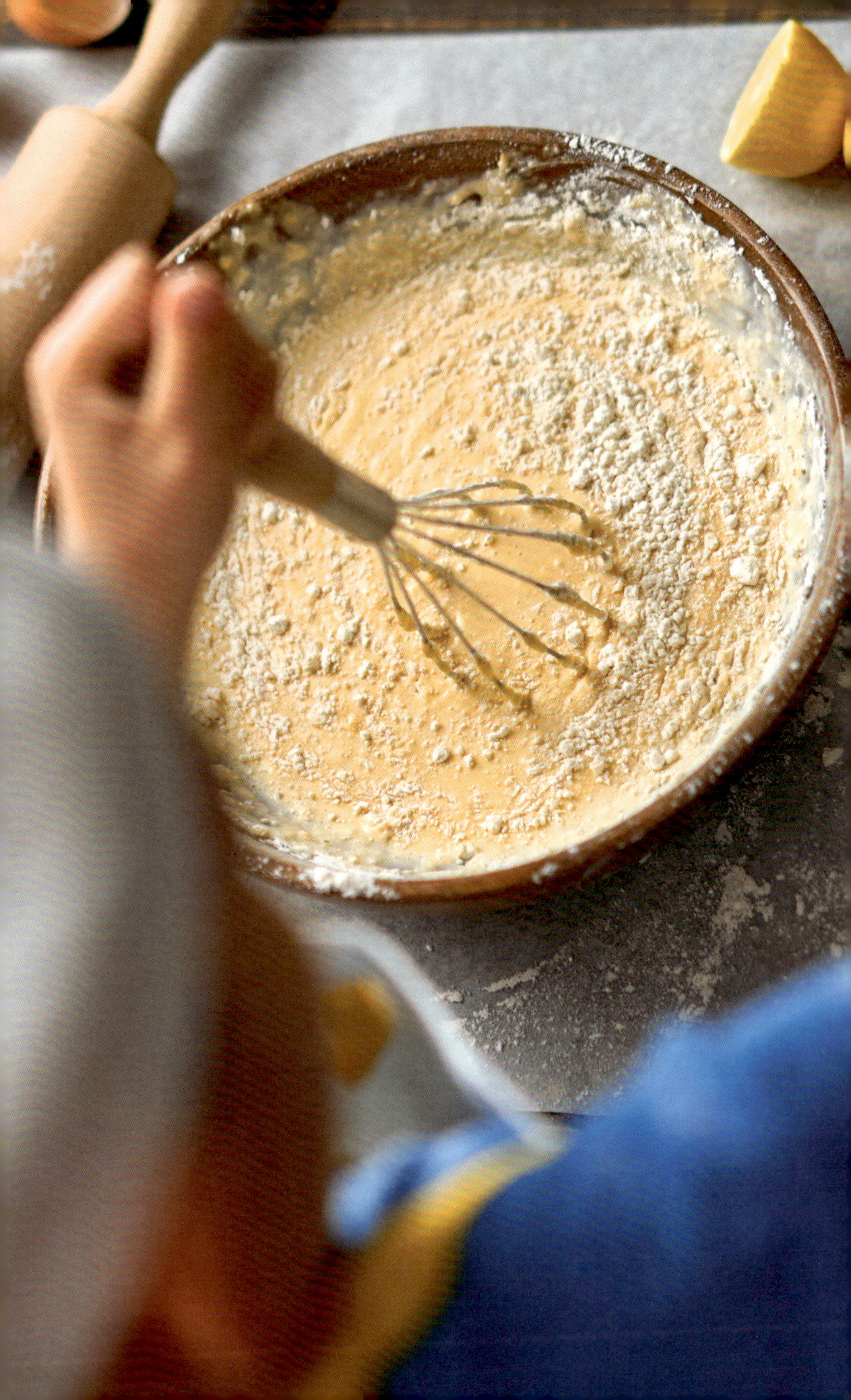

BOLINHOS E CUPCAKES

SEM AÇÚCAR

Existe algo melhor do que bolinhos saudáveis, gostosos e nutritivos? Aqui você vai encontrar receitas práticas que servem para os pequenos e para a família toda! Lembre-se de que todos os bolinhos adoçados com frutas secas têm consistência mais molhadinha!

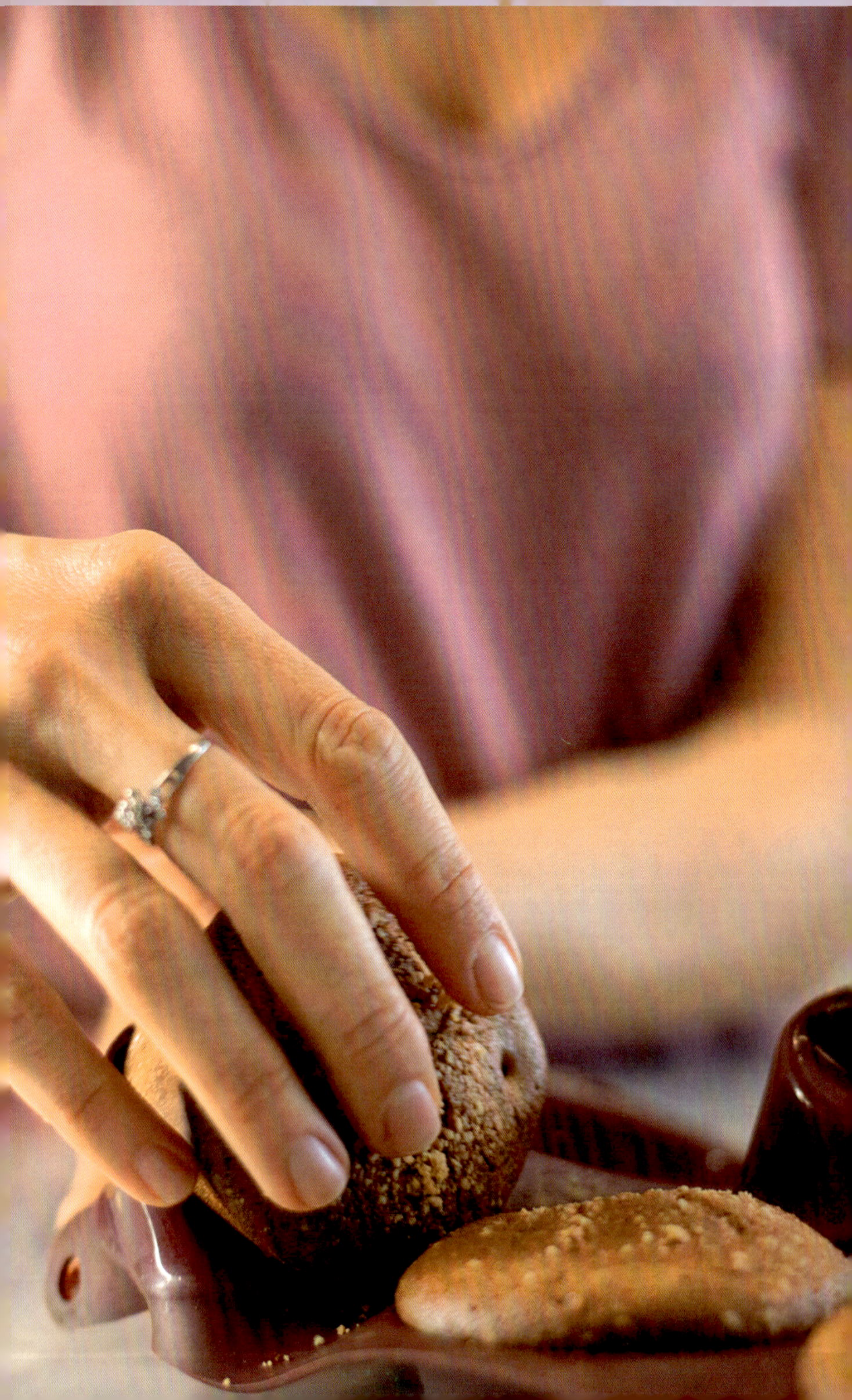

BOLINHO DE MILHO
ADOÇADO COM PASSAS DE UVA

Ingredientes:
- 3 ovos
- 1 xícara de uva-passa branca
- ½ xícara de óleo de coco derretido
- ½ xícara de leite de coco
- 1 xícara de coco ralado fino sem açúcar
- ½ xícara de fubá
- ½ xícara de farelo de aveia
- ½ colher de chá de cravo ou canela em pó
- 1 colher de chá de fermento químico

40 MIN
10 PORÇÕES
+8 MESES

Modo de preparo:

Preaqueça o forno a 180°C. No liquidificador bata os ovos, a uva-passa, o leite de coco e o óleo de coco. Despeje em uma bacia e adicione as farinhas, o cravo em pó e o fermento. Coloque a massa em forminhas de cupcake e leve para assar por cerca de 30 minutos.

Quer fazer algumas trocas?
- A mistura de farinhas leves (coco ralado e aveia) com uma farinha pesada (fubá e arroz) é importante para seu bolo não ficar massudo.

BOLO DE MAÇÃ
ADOÇADO COM TÂMARAS

Ingredientes:
- 1 ovo
- 2 maçãs grandes picadas
- 1 xícara de tâmaras picadas
- ½ xícara de água fervente
- 1 colher de chá de fermento químico
- ¼ xícara de óleo de coco derretido
- ¾ xícara de farinha de amêndoas
- ¼ xícara de farelo de aveia

Modo de preparo:
Preaqueça o forno a 180°C. Em uma bacia coloque as maçãs, as tâmaras e a água quente. Deixe descansar por 20 minutos. Assim que amornar, misture os demais ingredientes. Despeje a massa em forminhas de silicone e leve para assar por 30 a 35 minutos.

Quer fazer algumas trocas?
- Troque as tâmaras por outra fruta seca.
- A farinha de amêndoas vai deixar o bolo mais fofinho, mas pode trocar por aveia.
- Se preferir, triture tudo no liquidificador. Esse bolo fica semiúmido pelo uso das frutas secas.

50 MIN

8 PORÇÕES

+8 MESES

BOLO DE CHOCOLATE
ADOÇADO COM DAMASCOS

Ingredientes:
- 4 ovos
- 5 bananas médias maduras
- 1 xícara de damascos
- 4 colheres de sopa de óleo de coco
- 2 xícaras de aveia em flocos fino
- 3 colheres de sopa de cacau em pó 100%
- 1 colher de sopa de fermento químico

40 MIN

8 PORÇÕES

+8 MESES

Modo de preparo:
Preaqueça o forno a 180°C. Bata todos os ingredientes no liquidificador (exceto o fermento), até obter uma mistura bem lisa. Adicione o fermento e misture com uma espátula. Coloque em uma forma untada e asse por cerca de 30 minutos.

Quer fazer algumas trocas?
- Troque os damascos por tâmaras.
- Use 1 xícara de farinha de amêndoas e 1 de aveia, se preferir. O bolo vai ficar ainda mais fofinho.

BOLO DE COCO
ADOÇADO COM PASSAS DE UVA

Ingredientes:

- 5 ovos
- 100 g de coco ralado fino sem açúcar
- 2 colheres de sopa de aveia
- ½ xícara de leite de coco
- ½ xícara de uva-passa branca
- 3 colheres de sopa de óleo de coco derretido
- 1 colher de sopa de fermento químico

45 MIN
8 PORÇÕES
+24 MESES

Modo de preparo:

Preaqueça o forno a 180°C. Coloque todos os ingredientes líquidos no liquidificador e bata. Coloque os secos e bata bem até perceber que triturou bem o coco ralado. Adicione o fermento e misture com uma espátula. Coloque a massa em uma forma de bolo e leve para assar por 30 a 40 minutos. Não deixe esse bolo descansando fora do forno. A quantidade de ovo e a ausência de farinha pode ocasionar a separação da massa.

Quer fazer algumas trocas?

- Troque as uvas-passas por qualquer outra fruta seca.
- Adicione cacau sem prejuízo à receita.
- Adicione uma pitada de cravo ou canela.

BANANA BREAD
ADOÇADO COM BANANAS

Ingredientes:
- 3 ovos
- 5 bananas-prata maduras
- ½ xícara de óleo de coco
- 1 colher de sopa de canela
- 2 xícaras de farelo de aveia
- 1 colher de sopa de vinagre de maçã
- 1 colher de chá de fermento químico

Modo de preparo:
Preaqueça o forno a 180°C. No liquidificador bata os ovos, 3 bananas, óleo de coco e a canela. Despeje a mistura em uma bacia, adicione as outras 2 bananas picadas, a farinha, o vinagre e o fermento. Coloque em uma forma untada e leve para assar por cerca de 30 minutos. Finalize decorando com pasta de amêndoas ou de amendoim.

40 MIN

8 PORÇÕES

+8 MESES

Quer fazer algumas trocas?
- Use 1 xícara de farinha de amêndoas e 1 de aveia, se preferir. O bolo vai ficar ainda mais fofinho.

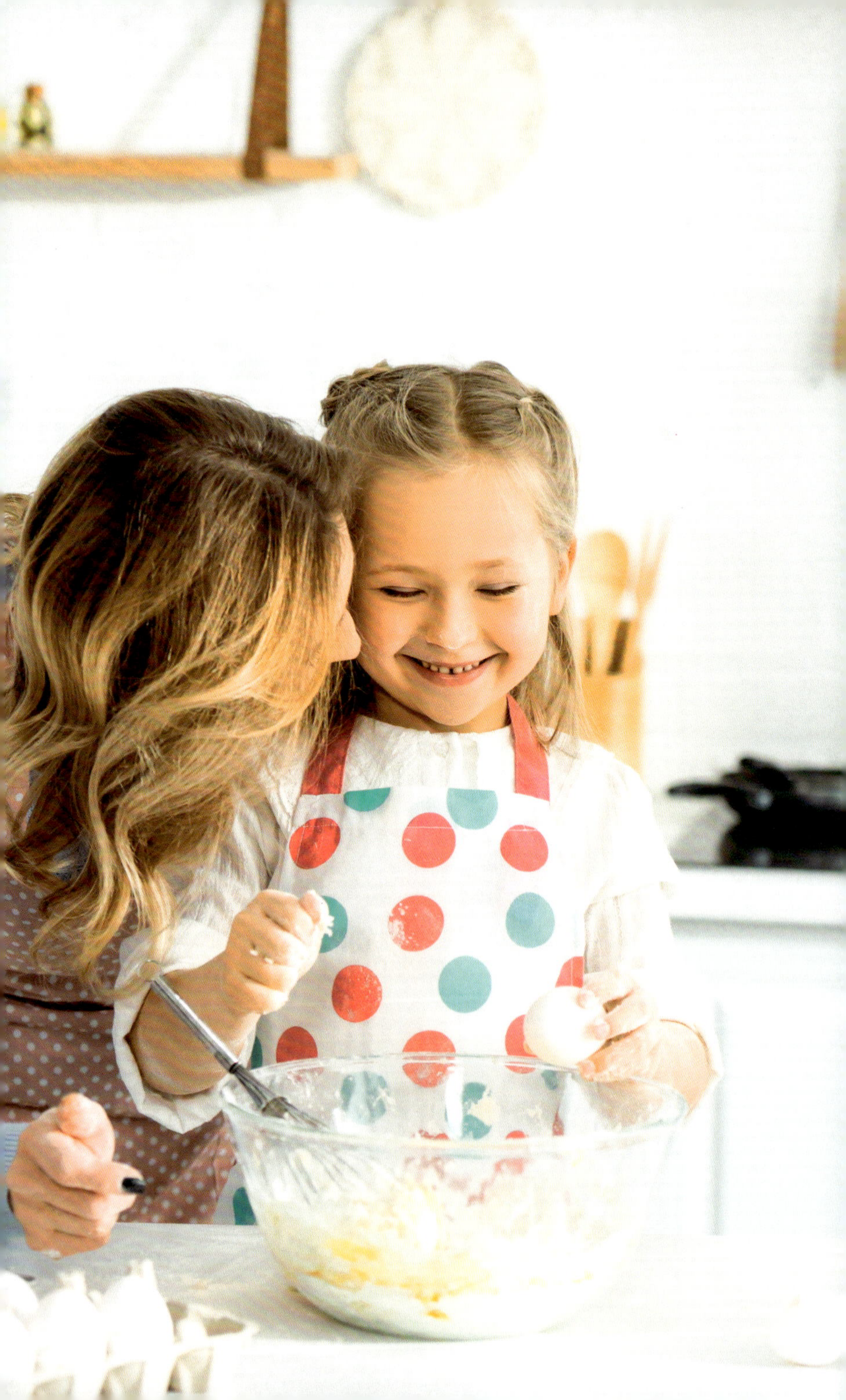

BOLINHOS E CUPCAKES

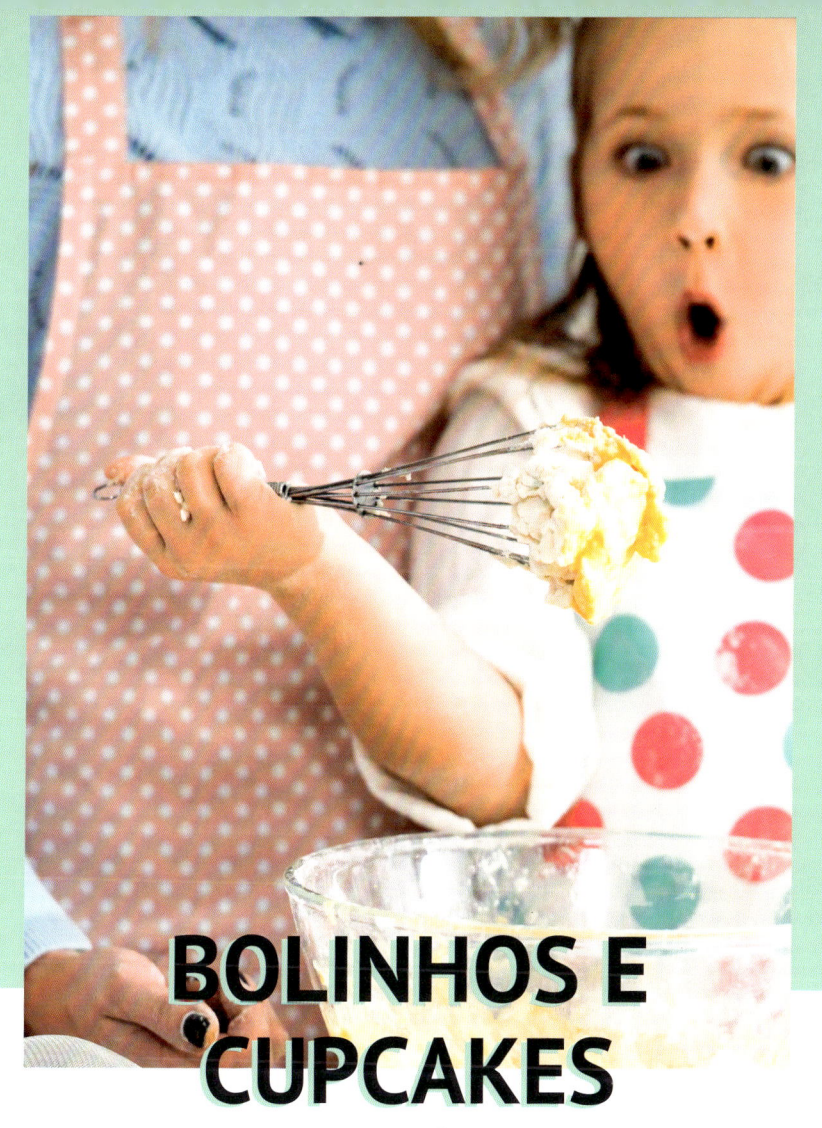

COM AÇÚCAR

Essa parte é dedicada a todos os pequenos maiores de dois anos, que já consomem açúcar! São receitas que também servem pra família toda!

BROWNIE DE CHOCOLATE

Ingredientes:
- ⅓ xícara de açúcar mascavo
- ¾ xícara de leite vegetal
- 2 colheres de sopa de óleo de coco derretido
- ¼ xícara de farinha de arroz ou de aveia
- 2 colheres de sopa de tapioca hidratada
- ⅓ xícara de cacau em pó
- 3 colheres de sopa de mel ou melado
- 1 colher de chá de fermento em pó

30 MIN

8 PORÇÕES

+24 MESES

Modo de preparo:
Preaqueça o forno a 180°C. Misture todos os ingredientes líquidos em uma bacia até obter uma mistura bem homogênea. Em seguida, vá misturando os ingredientes secos. Coloque em uma forma untada e leve para assar por 15 minutos. Espere amornar para cortar. Se precisar, leve à geladeira para que fique bem firme. Deixar tempo demais no forno resseca o brownie além de cozinhá-lo em excesso.

BOLO DE BANANA COM IOGURTE

Ingredientes:
- 3 ovos
- 2 bananas médias maduras
- 170 g de iogurte natural
- ½ xícara de açúcar mascavo
- 2 xícaras de aveia em flocos finos
- 1 colher de chá de canela em pó
- 1 colher de sopa de fermento químico

Modo de preparo:
Preaqueça o forno a 180°C. Coloque todos os ingredientes no liquidificador (exceto o fermento), e bata até obter uma mistura bem lisa. Adicione o fermento e misture com uma espátula. Coloque em uma forma untada, decore com fatias de banana e leve para assar por cerca de 40 minutos.

45 MIN

8 PORÇÕES

+24 MESES

Dicas:
- 170 g é o tamanho de um pote de iogurte natural.
- O iogurte umedece e substitui a gordura na receita.

BOLO DE CANECA

Ingredientes:
- 1 ovo
- 2 colheres de sopa de açúcar mascavo
- 1 colher de sopa de cacau em pó 100%
- 5 colheres de sopa de farinha de amêndoas
- 1 colher de chá de óleo de coco
- ½ colher de chá de fermento químico

5 MIN

1 PORÇÃO

+24 MESES

Modo de preparo:

Misture todos os ingredientes em um recipiente, coloque em uma xícara grande, deixando um centímetro livre para que o bolo cresça sem derramar. Coloque no micro-ondas por 3 minutos na potência máxima e coma quentinho!

Quer fazer algumas trocas?
- Adicione uma colher de chá de psyllium para aumentar a ingestão de fibras.
- Adicione uma banana picada à massa.

PÃOZINHO DE MEL

Ingredientes:
- 2 ovos
- 3 colheres de sopa de mel
- 2 xícaras de aveia em flocos médios
- ¾ xícara de açúcar mascavo
- 1 colher de chá de canela em pó
- ½ colher de chá de cravo em pó
- ¼ xícara de manteiga derretida
- 1 colher de sopa de fermento químico

45 MIN

8 PORÇÕES

+24 MESES

Modo de preparo:
Preaqueça o forno a 180°C. Misture todos os ingredientes em uma bacia até obter uma massa bem lisa. Coloque em forminhas de cupcake ou em uma forma untada e leve para assar por cerca de 40 minutos.

Quer fazer algumas trocas?
- Troque o óleo de coco por manteiga derretida.
- As especiarias ajudam a aromatizar e saborizar a receita.
- Substitua o açúcar mascavo pelo que você preferir nas mesmas proporções.

BOLO DE COCO COM LARANJA

Ingredientes:
- 5 ovos
- 100 g de coco ralado fino sem açúcar
- 2 colheres de sopa de farinha de aveia
- ½ xícara de leite de coco de vidrinho
- 6 colheres de sopa de açúcar mascavo
- raspas de 1 laranja
- 3 colheres de sopa de óleo de coco derretido
- 1 colher de sopa de fermento químico

45 MIN

8 PORÇÕES

+24 MESES

Modo de preparo:
Preaqueça o forno a 180°C. Bata todos os ingredientes líquidos no liquidificador até obter uma mistura bem lisa. Adicione o coco ralado e a farinha de aveia e bata mais um pouco. Coloque as raspas da laranja e o fermento e misture com uma espátula. Coloque a massa em uma forma e leve para assar por 30 a 40 minutos.

BOLO DE MAÇÃ COM LIMÃO

Ingredientes:
- 2 ovos
- 2 maçãs médias
- ½ xícara de iogurte natural
- ½ xícara de açúcar
- 1 colher de sopa de canela em pó
- ¼ de colher de chá de noz-moscada
- ¼ de colher de chá de cravo em pó
- 1 ¾ xícara de farelo de aveia
- 1 colher de chá de fermento químico
- raspas de 1 limão siciliano

45 MIN

8 PORÇÕES

+24 MESES

Modo de preparo:
Preaqueça o forno a 180°C. Rale as 2 maçãs, adicione todos os ingredientes em uma bacia e misture bem. Coloque em uma forma untada, decore com fatias de maçã ou raspas de limão e leve para assar por cerca de 45 a 50 minutos.

Quer fazer algumas trocas?
- Iogurte umedece e substitui a gordura na receita.
- As maçãs ajudam a adoçar o bolo que leva pouco açúcar na composição.

BOLO DE CENOURA

Ingredientes:
- 3 ovos
- 3 cenouras médias cruas e picadas
- 4 colheres de sopa de óleo de coco
- ¾ xícara de açúcar de coco ou mascavo
- 1 xícara de farelo de aveia
- 1 xícara de farinha de amêndoas
- 1 colher de chá de fermento químico
- castanha-do-pará em pedaços

45 MIN

8 PORÇÕES

+24 MESES

Modo de preparo:
Preaqueça o forno a 180°C. Bata os ovos, a cenoura, o óleo de coco e o açúcar no liquidificador até obter uma mistura bem lisa. Coloque em uma bacia e adicione as farinhas, o fermento e as castanhas em pedaços e misture com uma espátula. Coloque em uma forma untada e asse por cerca de 40 minutos. Sugestão de cobertura: brigadeiro saudável.

Quer fazer algumas trocas?
- Substitua as castanhas por nozes.
- A receita do brigadeiro você encontra na categoria "Doces".

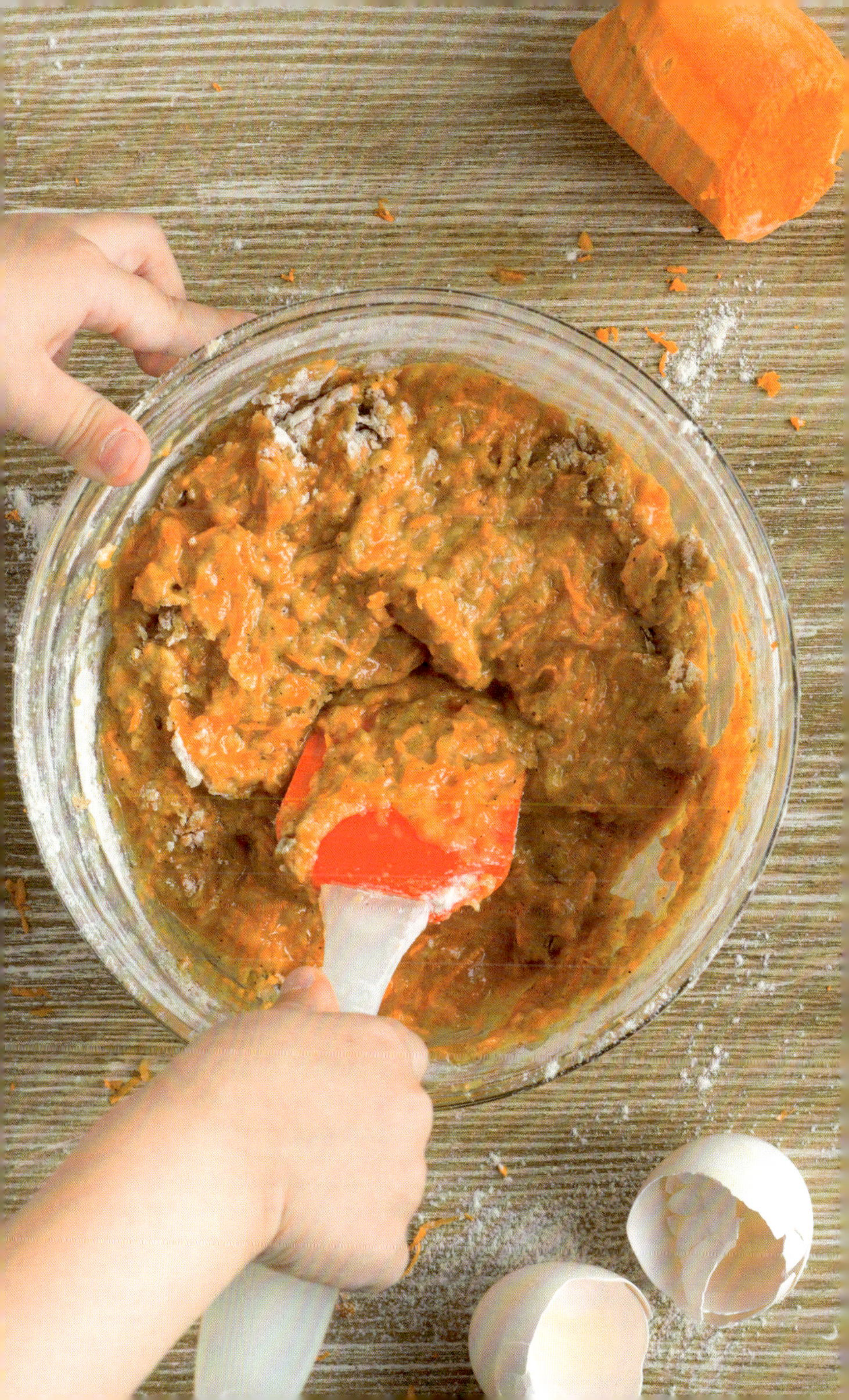

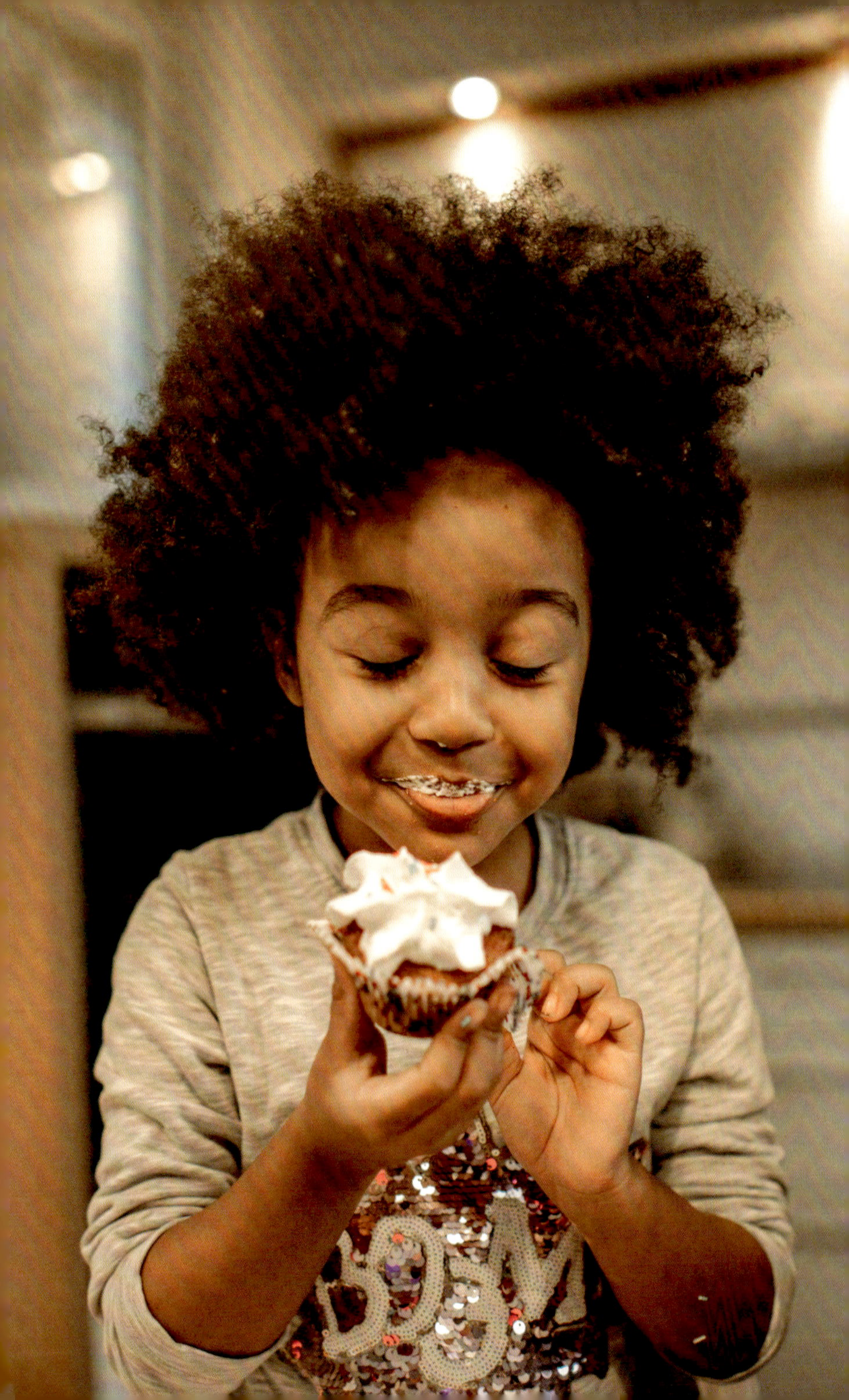

DOCINHOS SAUDÁVEIS

E quando bate aquela vontade de comer um docinho? Nessa seção só tem gostosuras, e, o melhor, todas supersaudáveis! Cuidado ao oferecer açúcar para as crianças! Prefira sempre as versões naturais de açúcar que são derivadas das frutas.

BRIGADEIRO NATUREBA

30 MIN

15 PORÇÕES

+24 MESES

Ingredientes:
- 1 xícara de leite de coco em pó
- ¼ xícara de açúcar demerara
- ⅓ xícara de água quente
- 2 colheres de sopa de cacau em pó 100%

Modo de preparo:
Coloque todos os ingredientes no liquidificador e bata bem até que o açúcar dissolva. Coloque em uma panela e vá cozinhando em fogo baixo e mexendo sempre com uma espátula. Assim que desgrudar do fundo da panela, deixe esfriar e faça as bolinhas. Se preferir cozinhar um pouco menos, sirva o brigadeiro na colher ou copinho.

Quer fazer algumas trocas?
- Recomendo que você compre leite de coco em pó de marcas confiáveis e evite comprar a granel.
- Use qualquer outro tipo de açúcar se preferir.

BRIGADEIRO DE CENOURA

Ingredientes:
- 1 xícara de leite de coco em pó
- ¼ xícara de açúcar demerara
- 1 cenoura grande picada ou ralada
- ⅓ xícara de água quente

Modo de preparo:

Coloque todos os ingredientes no liquidificador e bata bem até que o açúcar e a cenoura triturem totalmente. Coloque em uma panela e cozinhe em fogo baixo mexendo com uma espátula o tempo todo. Assim que desgrudar do fundo da panela, deixe esfriar e faça as bolinhas. Passe no coco ralado ou no leite de coco em pó para servir. Se preferir cozinhar um pouco menos, sirva o brigadeiro na colher ou copinho.

30 MIN

15 PORÇÕES

+24 MESES

NUTELLA CASEIRA SAUDÁVEL

Ingredientes:
- 1 xícara de avelã torrada
- ½ xícara de açúcar de coco
- ½ xícara de cacau em pó 100%
- 1 pitada de sal

Modo de preparo:
Preaqueça o forno a 180°C e torre as avelãs por 15 minutos. Retire boa parte da casca colocando em um pano e esfregando bem. Isso vai deixar a nutella mais suave, mas não se preocupe em tirar todas as casquinhas. Triture-as ainda quentes no processador ou em um liquidificador potente. Depois de bem trituradas, adicione o açúcar de coco, o cacau e o sal e bata até a mistura ficar bem lisa. Quanto mais bater, mais lisa e líquida sua nutella vai ficar. Insista e ajude com uma espátula se precisar. Armazene em pote de vidro fechado, fora da geladeira.

30 MIN

200 GRAMAS

+24 MESES

DOCINHO DE NUTELLA COM LARANJA

Ingredientes:
- ½ xícara de nutella caseira saudável
- ¼ xícara de melado ou mel
- ¼ xícara de cacau em pó
- ¼ xícara de chia
- ¼ xícara de farelo de aveia
- 1 pitada de sal
- raspas de 1 laranja

25 MIN

25 UNIDADES

+24 MESES

Modo de preparo:

Misture os ingredientes secos em uma bacia e os úmidos em outra. Depois coloque tudo na mesma bacia e faça bolinhas. Se a massa estiver muito mole, coloque na geladeira. Finalize com raspas de laranja e estará prontinho para servir. Rende 25 unidades, e você pode armazenar em geladeira em um pote fechado.

BANANA GRELHADA COM NUTELLA

Ingredientes:
- 1 banana madura firme
- óleo de coco
- nutella caseira

Modo de preparo:
Corte uma banana no sentido longitudinal, aqueça uma frigideira, coloque óleo de coco e, assim que derreter e estiver quentinho, coloque as bananas com a parte cortada para baixo. Não fique mexendo demais. Assim que dourar, vire com cuidado e espere dourar do outro lado. Coloque em um prato e sirva com nutella caseira por cima.

10 MIN

1 PORÇÃO

+24 MESES

Quer fazer algumas trocas?
- Você pode trocar manteiga pelo óleo de coco nas receitas.
- Essa receita funciona muito bem com maçã e pera.

ABACAXI GRELHADO COM CANELA

10 MIN

1 PORÇÃO

+6 MESES

Ingredientes:
- 1 fatia grossa de abacaxi maduro
- óleo de coco
- canela em pó

Modo de preparo:
Corte uma fatia de abacaxi na espessura de um dedo, mais ou menos 2 cm. Aqueça uma frigideira, coloque óleo de coco e, assim que derreter e estiver quentinho, coloque a fatia de abacaxi e não mexa demais. Assim que dourar de um lado, vire e espere dourar do outro lado. Coloque em um prato, salpique canela e sirva morninho.

Quer fazer algumas trocas?
- Se você grelhar mais fatias, use para fazer panqueca ou bolinhos.

MOUSSE DE MARACUJÁ

15 MIN

4 PORÇÕES

+8 MESES

Ingredientes:
- 1 xícara de castanha-de-caju crua e sem sal (de molho por 4 horas)
- ½ xícara de suco de maracujá coado (2 a 3 unidades)
- ¼ xícara de uvas-passas brancas
- 2 colheres de sopa de água

Modo de preparo:
Deixe as castanhas hidratando por 4 a 6 horas em água morna. Escorra as castanhas e lave em água corrente. Bata no liquidificador com os líquidos até a mistura ficar homogênea. Adicione as uvas-passas e bata até que fique bem cremoso. Sirva gelado. Você pode colocar em forminhas e servir como picolé.

Quer fazer algumas trocas?
- Você pode trocar a uva-passa branca por tâmaras, porém a cor vai ficar mais escurinha.
- Use essa receita para fazer picolés também.

CHANDELLE DE CHOCOLATE

Ingredientes:
- 1 avocado grande maduro
- 1 banana grande madura congelada
- 1 colher de sopa de biomassa de banana-verde (opcional, para mais cremosidade)
- 1 colher de chá de cacau 100%
- 1 colher de sopa de uva-passa branca

Modo de preparo:
Coloque a uva-passa branca em um copinho com água fervente e aguarde 10 minutos. Então, leve todos os ingredientes pro liquidificador ou mixer até bater muito bem. Sirva na hora ou coloque em forminhas de cupcake para gelar e servir como sorvetinho ou picolé.

Quer fazer algumas trocas?
- Se seu filho não tiver o paladar muito doce, dispense a uva-passa branca nesta receita.
- O avocado é muito mais cremoso, mas nem sempre encontramos. Use abacate ao invés de avocado.

8 MIN
2 PORÇÕES
+8 MESES

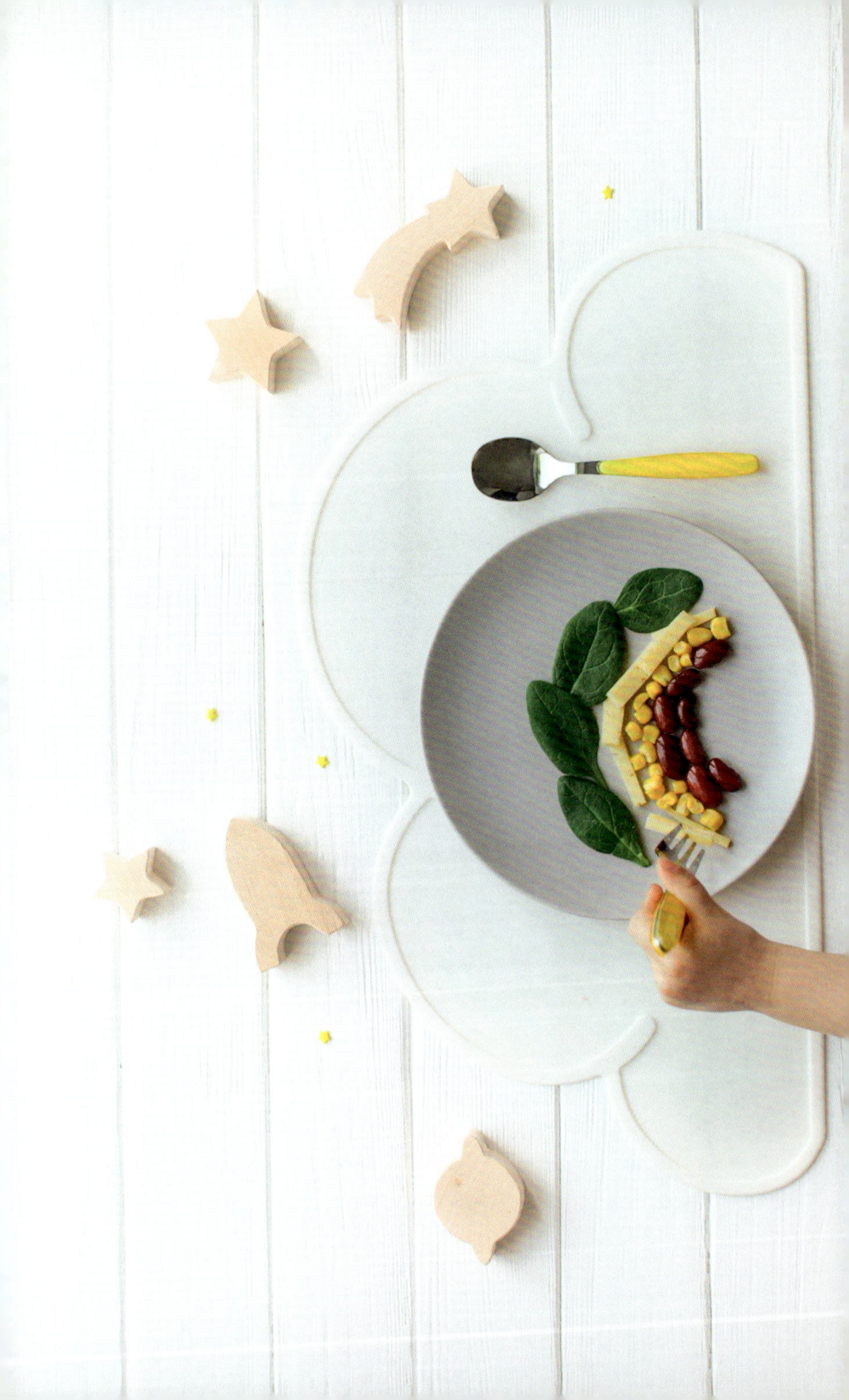

RECEITAS SALGADAS

Inspiradas nos vários momentos que eu já passei com a Manu e o Ulisses, compartilho com vocês receitinhas que, com certeza, vão colocar sorrisos nos rostinhos deles e nos de vocês. São superfáceis e saborosas!

TORRADINHA DE QUEIJO

Ingredientes:
- 1 ovo
- 1 xícara de polvilho azedo
- 1 xícara de queijo muçarela ralado grosso
- 6 colheres de sopa de azeite de oliva
- 1 pitada de sal (opcional)

20 MIN

10 PORÇÕES

+12 MESES

Modo de preparo:
Misture os ingredientes em uma bacia deixando para colocar o polvilho por último. Misture com a ajuda de uma colher e então coloque a mão na massa. Ela deve estar firme, sem grudar nas suas mãos. Faça bolinhas e leve ao grill preaquecido para prensar e dourar, por cerca de 5 minutos. Você pode armazenar o restante da massa por 5 dias na geladeira em pote fechado.

Quer fazer algumas trocas?
- Eu uso muçarela para esta receita. Se preferir, use 50% de muçarela e 50% de parmesão. Mas sempre compre o queijo em pedaço inteiro para ralar na hora. Deixa a receita menos ressecada.

PÃO DE QUEIJO LARANJINHA

Ingredientes:
- 1 xícara de batata cozida
- 1 cenoura em pedaços
- 100 ml de azeite de oliva
- 2 ovos
- ⅓ a ½ xícara de água
- 1 xícara de queijo ralado grosso
- 2 xícaras de polvilho azedo

30 MIN
15 PORÇÕES
+12 MESES

Modo de preparo:
Liquidifique a batata, cenoura, azeite, ovos e metade da água. Despeje em uma bacia e misture o queijo e o polvilho. O ponto da massa é quando descola da sua mão. Se precisar, adicione o restante da água. Faça bolinhas e asse em forno preaquecido a 200°C.

Quer fazer algumas trocas?
- Uso o queijo ralado muçarela para que o sabor fique mais suave.
- Você pode usar tapioca ao invés de polvilho. Nesse caso, coloque menos água. Talvez a massa fique bem cremosa e úmida e você precise assar em forminhas de silicone.

BOLINHO DE MILHO

Ingredientes:
- 1 xícara de milho fresco ou congelado
- 1 ovo
- 2 colheres de sopa de azeite de oliva
- ⅓ xícara de queijo muçarela em pedaços
- 1 cebola pequena
- ½ colher de chá de sal
- 1 colher de chá de fermento químico
- 1 colher de sopa de vinagre

40 MIN

8 PORÇÕES

+12 MESES

Modo de preparo:

Preaqueça o forno a 180°C. Bata todos os ingredientes no liquidificador e despeje a massa em forminhas. Leve para assar por 30 minutos. Decore com tempero verde e sirva.

Quer fazer algumas trocas?
- Recheie com queijo cottage, vegetais ou frango, se preferir.

PÃOZINHO VERDE

30 MIN

6 PORÇÕES

+12 MESES

Ingredientes:
- 2 ovos
- 2 colheres de sopa de farinha de arroz integral
- 2 colheres de sopa de farelo de aveia
- 1 punhado de folhas de espinafre
- 6 colheres de sopa de muçarela picada
- 1 colher de café de fermento
- 1 colher de café de cúrcuma
- sal a gosto

Modo de preparo:
Preaqueça o forno a 180°C. Bata no liquidificador os ingredientes. Despeje a massa em forminhas de cupcake sem preencher completamente. Leve para assar por 25 a 30 minutos. Sirva quentinho.

Quer fazer algumas trocas?
- Use a farinha que quiser no lugar de farelo de aveia ou farinha de arroz.
- Adicione uma colher de chá de vinagre pra deixar a receita ainda mais fofinha.

ARROZ DE AÇAÍ

2 MIN
2 PORÇÕES
+8 MESES

Ingredientes:
- arroz cozido
- polpa de açaí 100% derretida, sem açúcar

Modo de preparo:

Cozinhe o arroz da forma que preferir, sem sal. Você pode usar arroz branco ou integral para essa receita. Assim que estiver pronto, misture o equivalente a 1 xícara de arroz cozido com 100 g de polpa de açaí derretido. Ele vai estar resfriado, mas isso não vai diminuir demais a temperatura do arroz. Sirva com tempero verde para realçar ainda mais a cor.

ARROZ DE COUVE-FLOR

Ingredientes:
- 1 cabeça de couve-flor
- 1 dente de alho
- 2 colheres de sopa de manteiga ghee
- 1 colher de chá de sal (opcional)
- 1 colher de café de cúrcuma em pó
- salsinha a gosto

15 MIN

6 PORÇÕES

+12 MESES

Modo de preparo:
Higienize a couve-flor e separe em floretes. Coloque em um processador triturando em etapas. Se você colocar uma quantidade grande, terá dificuldade para triturar. Em uma frigideira grande adicione a manteiga ghee e o alho picado. Assim que estiver levemente dourado, coloque a couve-flor e refogue aos poucos, sem adicionar água e até que fique macia. Você não precisa cozinhar tudo de uma só vez. Triture, porcione em saquinhos e congele.

Quer fazer algumas trocas?
- Use brócolis misturado com a couve-flor, a receita vai ficar bem colorida.
- Use azeite de oliva no lugar da manteiga ghee.

HUMMUS ROSA PINK

Ingredientes:
- 1 xícara de grão-de-bico cozido
- ¼ de uma beterraba cozida
- ½ colher de sopa de tahine (opcional)
- ½ colher de sopa de azeite de oliva
- 1 colher de chá de suco de limão

Modo de preparo:
Em um processador, coloque o grão-de-bico cozido com a beterraba em pedaços. Bata até que a mistura seja totalmente triturada e fique bem lisa. Adicione o tahine (pasta de gergelim que vai deixar essa receita rica em cálcio), o azeite de oliva e o suco de limão. Bata mais um pouco e sirva. O hummus pode acompanhar almoço e jantar das crianças.

Quer fazer algumas trocas?
- Esse hummus pode trocar de cor a medida que você for substituindo os ingredientes. Use espinafre para deixar verde e cenoura para deixar laranja!
- É um alimento incrível para o seu filho e dura alguns dias na geladeira.

5 MIN

1 PORÇÃO

+8 MESES

QUEIJINHO VEGANO

Ingredientes:
- 1 xícara de castanha-de-caju crua hidratada por 8 horas (deixe de um dia para o outro)
- 1 colher de sopa de suco de limão
- 1 colher de sopa de azeite de oliva

8 MIN

1 PORÇÃO

+8 MESES

Modo de preparo:
Compre sempre castanhas-de-caju cruas e inteiras. Deixe de molho de um dia para o outro, lave as castanhas em água corrente e coloque no processador com os demais ingredientes. Triture até que o creme fique 100% liso. Sirva como quiser, com o almoço e jantar, com tapioca, biscoitinho, panqueca...

Quer fazer algumas trocas?
- Essa receita é uma opção nutritiva e pode ser usada no lugar do requeijão comum ou de outro queijo cremoso em qualquer receita.
- Você também pode servir com bolachinhas de arroz, pão integral, cenourinha em palitos...

NUGGETS SAUDÁVEIS

Ingredientes:
- suco de 1 laranja
- 1 colher de chá de sal
- 2 dentes de alho
- 500 g de filé de frango cortado em pedaços
- 1 xícara de farinha de amêndoas
- 5 colheres de sopa de gergelim
- 1 colher de chá de páprica doce
- 1 colher de chá de cúrcuma

50 MIN

10 PORÇÕES

+8 MESES

Modo de preparo:
Deixe o frango marinando na mistura de laranja, sal e alho de um dia pro outro. Em uma bacia, misture a farinha de amêndoas com os demais ingredientes. Empane os pedaços de frango, um a um, na farinha de amêndoas temperada. Unte uma forma com azeite e leve ao forno para assar por cerca de 40 minutos. Se preferir, vire para dourar dos dois lados. Dica: se a forma estiver bem quente antes de você colocar os pedaços de frango, o nugget vai ficar ainda mais crocante.

Quer fazer algumas trocas?
- Se preferir, use metade de farinha de amêndoas e metade de aveia ou apenas gergelim. Porém, a gordura da amêndoa oferece mais crocância à receita.

ALMÔNDEGAS DE FRANGO

Ingredientes:
- 4 colheres de sopa de azeite de oliva
- 1 cebola picada
- 3 dentes de alho
- 600 g de peito de frango moído
- 1 cenoura média ralada
- 2 colheres de sopa de tempero verde
- 1 col. de sopa de molho vermelho
- 1 colher de chá de cúrcuma
- 1 ovo
- molho de tomate caseiro e queijo para finalizar

Modo de preparo:
Frite a cebola e o alho no azeite de oliva. Em uma bacia, misture todos os ingredientes com exceção do molho de tomate e queijo, e faça minibolinhas com a ajuda das mãos. Coloque para assar em uma forma untada no forno preaquecido a 200°C, por aproximadamente 30 minutos. Assadas as bolinhas, coloque o molho de tomate caseiro em uma frigideira, posicione as almôndegas, salpique com queijo ralado, tampe e aqueça em fogo baixo até que o queijo derreta.

Quer fazer algumas trocas?
- Pode ser feita com carne moída seguindo o mesmo passo a passo.

30 MIN

20 UNIDADES

+12 MESES

BOLINHO DE SIRI

Ingredientes:
- 4 colheres de sopa de azeite de oliva
- 1 cebola picada
- 3 dentes de alho
- 500 g de siri desfiado
- 1 tomate italiano grande picado
- 2 colheres de sopa de tempero verde
- 1 colher de chá de cúrcuma
- sal a gosto
- ¼ xícara de farinha de linhaça
- ½ xícara de queijo muçarela ralado fino
- farinha de arroz e de mandioca
- 1 ovo

40 MIN

12 UNIDADES

+12 MESES

Modo de preparo:
Em uma panela, frite a cebola e o alho com azeite de oliva, adicione o siri e refogue por 5 minutos. Coloque o tomate picado, tempero verde, cúrcuma, sal e cozinhe por 15 a 20 minutos até que não sobre líquido no fundo da panela. Adicione a farinha de linhaça e o queijo ralado fino, misture e deixe esfriar. Quando estiver frio, faça bolinhas e empane. Empane passando na farinha de arroz, no ovo e então na farinha de mandioca. Preaqueça o forno a 180°C e asse os bolinhos por 25 minutos.

BATATINHA COM LIMÃO

Ingredientes:
- 1 batata-doce
- 1 limão siciliano
- azeite de oliva

Modo de preparo:
Cozinhe a batata inteira com casca em uma panela. Quando estiver cozida (verifique cravando uma faca delicadamente), retire da água e espere amornar. Tire a casca, se não for orgânica, e corte em rodelas grossas. Aqueça uma frigideira, coloque azeite de oliva e então doure ambos os lados das rodelas. Para temperar, pingue gotinhas de limão, coloque raspas de limão e sirva morninha.

Quer fazer algumas trocas?
- Essa receita é uma forma de variar a batata-doce, que pode vir em forma de purê, cozida na água, assada no forno... O limão entra como realçador de sabor e evita o uso do sal.

30 MIN
5 PORÇÕES
+6 MESES

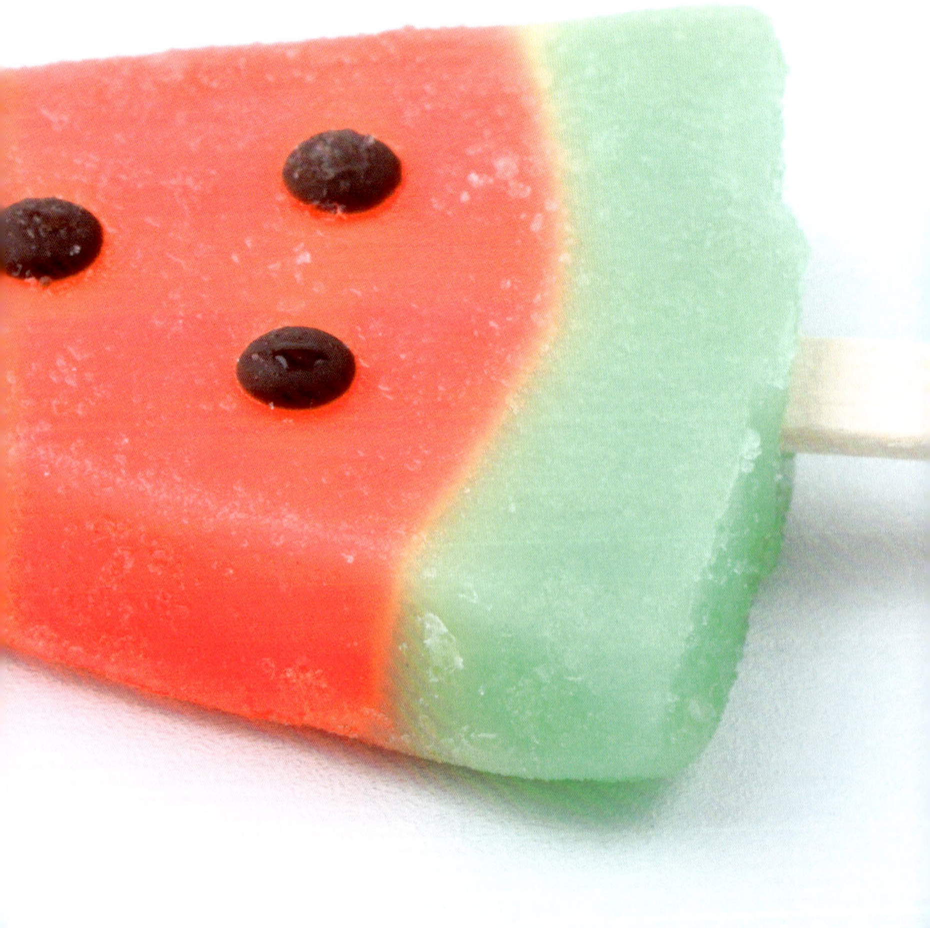

GELADINHOS E REFRESCANTES

Não tem nada mais fofo que um bebê se deliciando com um sorvete ou picolé. Me inspirei naqueles dias de verão em que tudo que a gente mais quer é um refresco. Aproveite essas receitas para tirar muitas fotos do seu fofinho se refrescando.

PICOLÉ DE PITAYA

Ingredientes:
- ½ pitaya rosa picada *in natura*
- ½ fatia de abacaxi doce *in natura*
- 1 banana grande picada *in natura*
- ½ xícara de manga picada congelada
- 2 colheres de sopa de blueberries (opcional)

5 MIN

3 PORÇÕES

+8 MESES

Modo de preparo:
Bata tudo no processador e despeje em forminhas de picolé. Coloque no freezer até firmar e sirva. Se preferir usar banana congelada, você poderá servir na hora como um sorvetinho.

Quer fazer algumas trocas?
- A pitaya é uma fruta com sabor muito sutil. A doçura e acidez de outras frutas ajudam a deixar essa receita muito mais gostosa.
- Faça com as frutas que você tiver em casa, lembrando que a manga e a banana entram para dar cremosidade.

SORVETE DE MANGA

Ingredientes:
- 1 manga madura picada
- 1 fatia de abacaxi maduro
- 2 bananas congeladas
- 1 colher de sopa de leite de coco em pó
- 2 folhinhas de hortelã

5 MIN

3 PORÇÕES

+8 MESES

Modo de preparo:
Bata as frutas no processador e, quando a mistura estiver homogênea, sirva. Sugiro que algumas das frutas estejam congeladas, para dar a consistência de sorvete, e outras frescas para ajudar a bater.

Quer fazer algumas trocas?
- O leite de coco é opcional, mas entra como fonte de gordura boa nessa receita.
- Se você não tiver abacaxi, coloque gotinhas de limão.
- Adicione sementes de chia se quiser!

AÇAÍ CASEIRO

10 MIN

1 PORÇÃO

+8 MESES

Ingredientes:
- 2 bananas grandes picadas
- 100 g de polpa de açaí 100% congelada
- suco de ½ laranja

Modo de preparo:
No processador, bata a banana com o suco de laranja, até que a mistura fique homogênea. Adicione a polpa de açaí, misture até ficar bem cremoso e sirva geladinho. Se preferir duplicar a receita, faça picolé com o que sobrar.

Quer fazer algumas trocas?
- O limão ajuda a realçar o sabor, dá um toque especial a receita.
- Se o seu liquidificador for bom para bater alimentos congelados, prefira ele do que o processador.

PICOLÉ DE ABACAXI COM COCO

Ingredientes:
- 2 bananas grandes congeladas
- 2 fatias de abacaxi doce *in natura*
- 3 colheres de sopa de leite de coco em pó

Modo de preparo:
Bata todos os ingredientes em um mixer até que a mistura fique homogênea. Então, coloque em forminhas de picolé e leve ao freezer para gelar por 4 horas.

Quer fazer algumas trocas?
- Se preferir fazer essa receita para servir como sorvete, siga o passo a passo e sirva na hora, sem colocar nas forminhas.
- O leite de coco vai dar cremosidade e possibilitar um equilíbrio nutricional, com a inclusão da gordura boa.

5 MIN
4 PORÇÕES
+8 MESES

SORVETE DE BANANA COM LIMÃO

Ingredientes:
- 4 bananas congeladas picadas
- 2 colheres de sopa de pasta de amendoim
- suco de meio limão pequeno

5 MIN

4 PORÇÕES

Modo de preparo:
Bata todos os ingredientes no processador, até que fique bem cremoso, e sirva na hora. Se sobrar, coloque em forminhas de picolé e espere congelar.

+8 MESES

Quer fazer algumas trocas?
- A pasta de amendoim aumenta a ingestão de fibras e gorduras boas, além de melhorar a textura do sorvete.
- Você pode usar pasta de qualquer outra oleaginosa.
- O limão ajuda a realçar a doçura da banana.
- Raspas de limão entram muito bem nessa receita também.

CHICABON NATUREBA

Ingredientes:
- 6 bananas congeladas picadas
- 1 colher de sopa de cacau em pó 100%
- 3 colheres de sopa de pasta de amêndoas

5 MIN

3 PORÇÕES

Modo de preparo:
Bata as bananas com o cacau em pó até que ele dissolva bem. Adicione a pasta de amêndoas até que tudo se misture. Coloque em forminhas de picolé, leve ao freezer e espere firmar, então sirva. Decore com algumas rodelas de banana.

+8 MESES

Quer fazer algumas trocas?
- Se preferir fazer essa receita e servir como sorvete, siga o mesmo passo a passo e sirva na hora, sem colocar nas forminhas de picolé.

PODE OU NÃO PODE, NUTRI?

Muito se fala sobre o que a criança pode e o que não pode consumir na fase da introdução alimentar! Para tirar nossas dúvidas, convidei algumas nutricionistas para escreverem pra gente! Nutris, meu muito obrigada a cada uma de vocês!

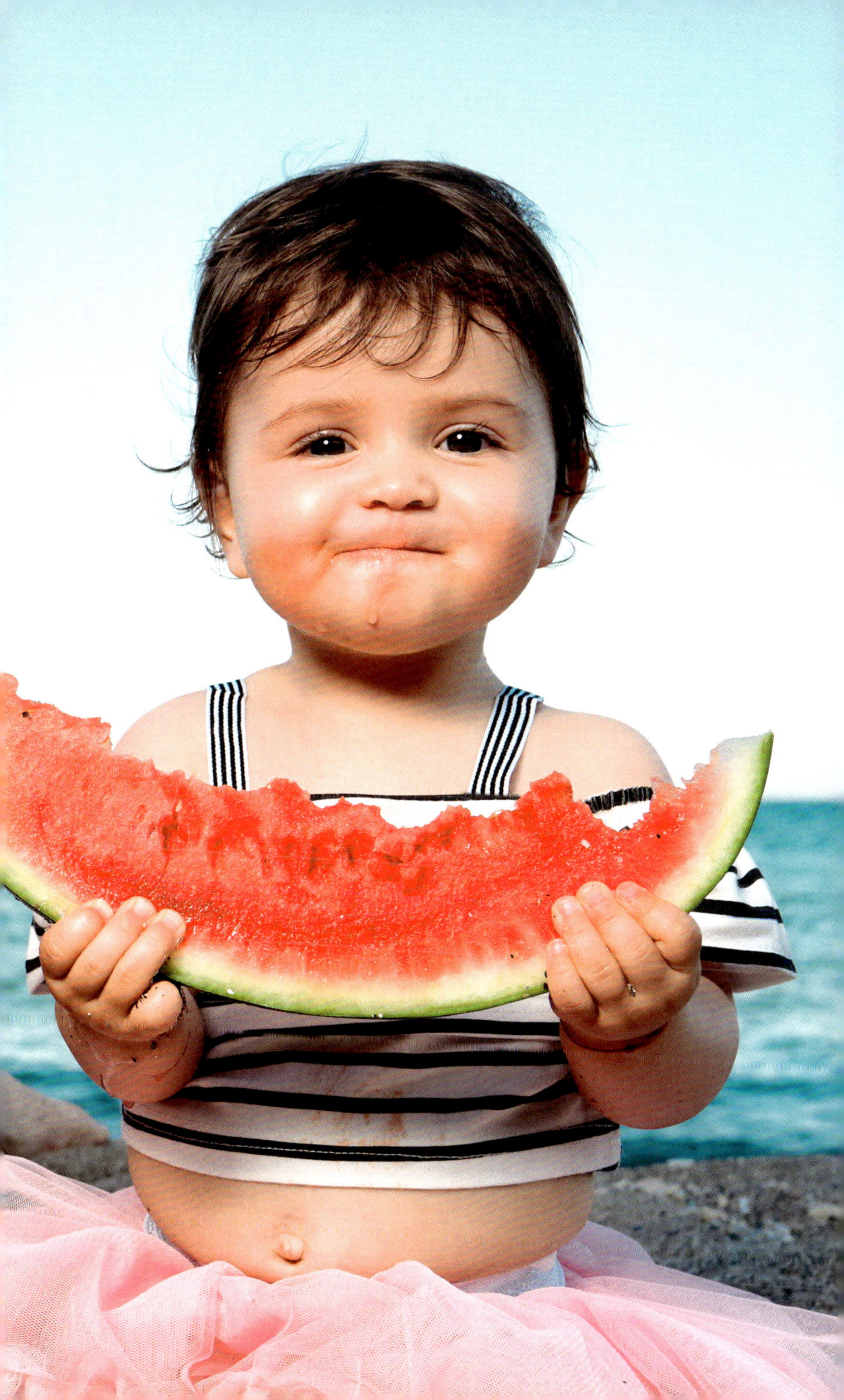

MEL

Fernanda Monteiro @nutri_infantil

O mel pode conter esporos do Clostridium botulinum, que podem produzir toxinas no intestino causando uma doença chamada botulismo. No primeiro ano de vida, a flora intestinal do bebê ainda está em desenvolvimento e não consegue barrar a ação dessa bactéria. Segundo o *Guia alimentar para crianças menores de 2 anos* – MS, o mel pode ser oferecido a partir dos dois anos de idade, devido seu sabor adocicado. Quanto mais prolongar a exposição ao sabor doce, melhor para o paladar do bebê.

MELADO

Carolina Vaccaro @nutricarolinavaccaro

O melado é um xarope espesso, de sabor doce bem pronunciado, obtido pela evaporação do caldo de cana. Por ser menos processado que o açúcar refinado, ele concentra uma quantidade significativa de minerais como ferro, cobre, cálcio, potássio, manganês e selênio, tornando-se um alimento bastante nutritivo. Por este motivo, pode ser usado em várias receitas como substituto saudável do açúcar. No entanto, deve ser consumido com moderação, pois não é um alimento de baixas calorias. E, como qualquer alimento doce, não deve ser oferecido para crianças menores de dois anos de idade.

GORDURAS
Gabriela Penter @gabrielapenter

A criança pode e deve, desde o início, ser alimentada com a comida da família, desde que adaptada em sal e consistência. Esta comida pode ser preparada com uso de gorduras vegetais e, da mesma forma que para os adultos, recomenda-se que sejam gorduras boas, como azeite de oliva e gordura do coco em quantidade moderada, pois o excesso de gordura está fortemente relacionado ao sobrepeso e obesidade. As gorduras auxiliam no funcionamento do intestino, então, para crianças que estão mais constipadas, um pouco de gordura pode ser adicionada depois que a comida estiver pronta.

AZEITE DE OLIVA, ÓLEO DE COCO E MANTEIGA

Kelly Vieira @nutricionista.infantil

O azeite de oliva extravirgem pode fazer parte da alimentação de todos os bebês, desde o início da introdução alimentar. Pode ser utilizado para refogar ou cozinhar, preferencialmente usando o fogo médio ou baixo, ou colocado no final da preparação. Dê preferência para as versões extravirgem, com acidez até 0,5%, em embalagens de vidro escuro. Evite os azeites compostos que misturam óleo de milho ao azeite de oliva.

O óleo de coco pode ser utilizado na alimentação dos bebês, desde a introdução alimentar, como um ingrediente culinário. Dê preferência para a versão extravirgem, prensado a frio. Você pode usar para cozinhar, para refogar, fazer bolos, panquecas, cookies...

A manteiga pode ser usada desde o início da introdução alimentar. Por se tratar de um produto do leite de vaca, os bebês com alergia a proteína do leite não devem consumir.

SAL E TEMPEROS
Dayanna Queiroz @dayannaqueiroz

Segundo a recomendação da Sociedade Brasileira de Pediatria, o uso do sal de adição deve ser iniciado após um ano de vida do bebê. Por isso, a partir de seis meses, quando o bebê passa a conhecer sobre os alimentos, não indicamos a utilização de sal. Temperos naturais estão liberados e podem suprir a necessidade do sal. Por isso invista neles: orégano, manjericão, sálvia, alecrim, tomilho, coentro, alho e cebolinha. A comida do seu bebê com os temperos naturais ficará nutritiva e cheia de sabor. Não se preocupe, seu bebê não conhece sal, ele não sentirá falta desse ingrediente.

PIMENTA
Maiara Carniel @nutrimaicarniel

Durante a alimentação complementar não se devem ofertar temperos fortes e picantes, para que o bebê não se acostume aos sabores realçados e acabe recusando comidas mais naturais e menos temperadas (a mesma ideia do açúcar e sal). A oferta de alimentos apimentados aos bebês pode causar irritação gástrica. Para as famílias acostumadas a temperos muito picantes e ao uso de pimentas, uma boa solução é separar um pouco de comida para a criança antes de acrescentar esses tipos de temperos.

ORGÂNICOS E NÃO ORGÂNICOS
Renata Lima @nutrirenatalima

Orgânicos são sempre a melhor opção! Muitas vezes acaba não sendo tão fácil encontrar todo tipo de alimento nos mercados, então vamos lá: quais eu devo priorizar?
Os que têm cascas mais finas, que são consumidos com cascas ou inteiros e cujo nível de agrotóxicos é alto, como é o caso do tomate, folhas de alface, pepino, cenoura, pimentão, morango, uva, beterraba, mamão etc., ou aqueles que mesmo com casca mais grossa ainda possuem muitos agrotóxicos, como o abacaxi. Sempre priorize comprar os alimentos da estação, eles são mais nutritivos, suculentos e saborosos!

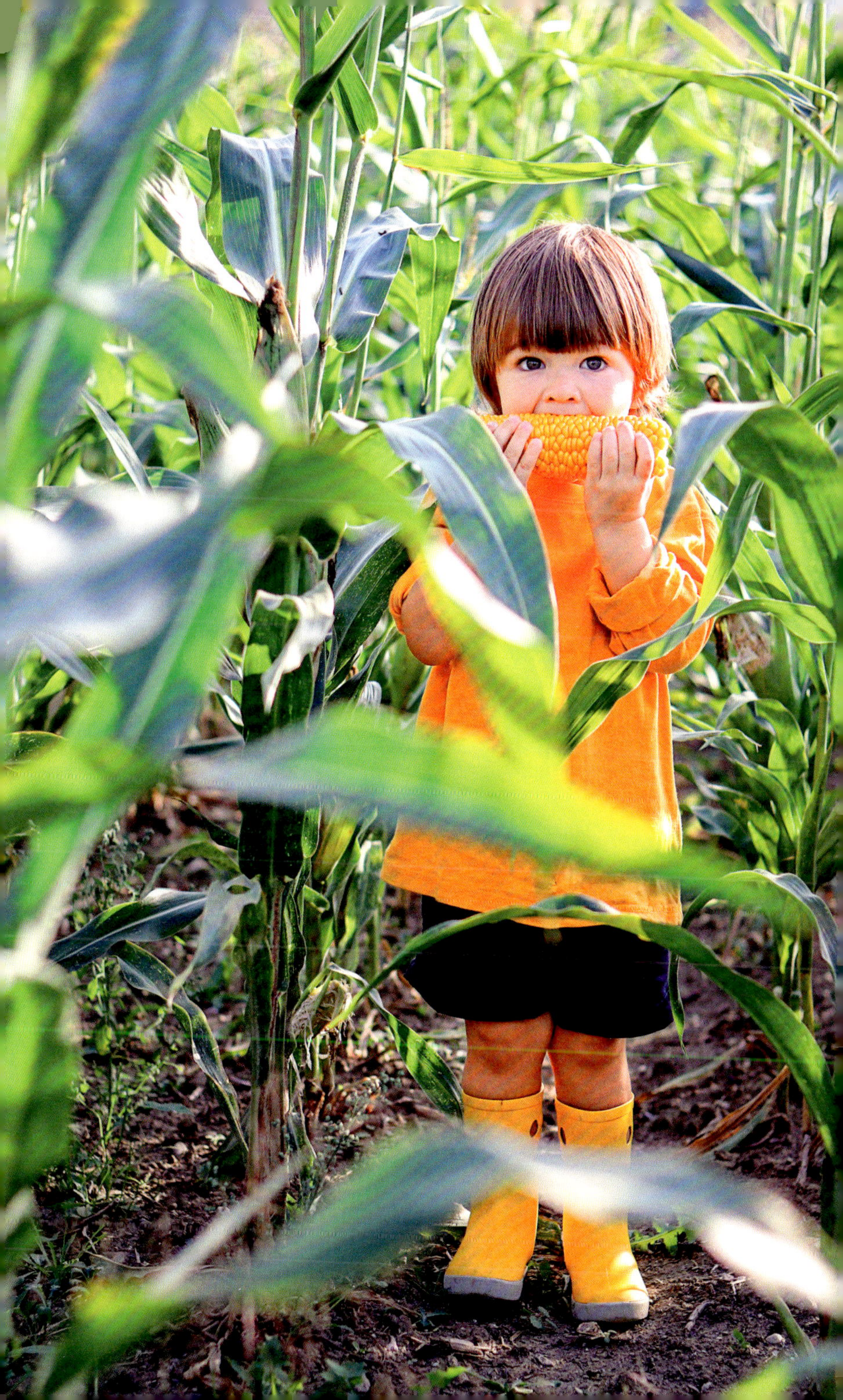

VITAMINA C
Andréa Rahal @andrearahalnutri

A vitamina C é um micronutriente que deve ser ingerido todos os dias. Muitas vezes menosprezamos o poder de alimentos comuns, tentando encontrar fórmulas mirabolantes para ter uma saúde de ferro. A verdade é que o que precisamos são de frutas que estão disponíveis em feiras e em supermercados.

Por isso, atingir a necessidade diária do bebê é fácil e não precisa de suplementação. Com apenas um dos itens abaixo, é possível garantir que essa vitamina esteja em quantidade suficiente para o seu bebê:
½ fatia de mamão, 1 folha de couve, ½ laranja, 1 acerola, 4 morangos, ¼ goiaba e ½ kiwi.

SUCOS
Fernanda Monteiro @nutri_infantil

De acordo com o *Manual de alimentação* da SBP, sucos não devem ser ofertados para crianças menores de um ano, pois podem predispor à obesidade devido ao maior consumo de calorias e à ausência da fibra das frutas. A grande dúvida é: após um ano, pode oferecer? Qual a quantidade?

Sugiro que não seja ofertado diariamente, para a criança não criar o hábito de tomar sucos e reduzir o consumo de água e de frutas. Mas caso você decida ofertar, o ideal é que seja sempre suco natural, sem açúcar, nas quantidades determinadas pela SBP:
1 a 3 anos > 120 ml ao dia.
4 a 6 anos > 175 ml ao dia.

FRUTAS
Gabriela Penter @gabrielapenter

Todas as frutas podem ser oferecidas para as crianças desde o início da introdução alimentar, salvo situações especiais de alergias alimentares. Pelas diferenças nutricionais que elas possuem, torna-se interessante a variação entre elas. Dar preferência para frutas da região e da estação, pois é onde e quando estão mais gostosas e baratas. Frutas não devem ser adicionadas de açúcar, para que se possa perceber o real sabor que elas possuem. Também não é indicado substituir por sucos até um ano de idade, pois é interessante que a criança exercite a mastigação e receba o maior teor de fibras possível. Além disso, crianças possuem o estômago pequeno, e pouca quantidade de suco já é capaz de saciá-las, tirando o apetite de refeições importantes.

ÁGUA

Tatiara Monção @tatiaramoncaonutri

Estimular desde cedo o bebê a criar o hábito de gostar de água é superimportante! Afinal, essa simples medida contribui para a saúde, e eles devem consumir diariamente. Entretanto, caso o seu filho não esteja acostumado a ingerir água, poderá não aceitá-la futuramente. Insista e incentive-o a consumir água. Não se renda trocando a água por sucos ou bebidas adocicadas, pois isso pode acostumar o paladar. Você sabia que beber água todos os dias proporciona boas condições da saúde além de auxiliar na diminuição dos riscos de desenvolvimento das doenças crônicas?

REFRIGERANTES
Luciana Nunes @luciananunesnutri

Embora seja muito divulgado e enfatizado o quanto refrigerantes fazem mal à saúde, estudos realizados na Universidade de São Paulo indicam que 56% dos bebês tomam refrigerantes na mamadeira antes de completar um ano de idade. São inúmeros os malefícios para essas crianças e muitas vezes podem surgir apenas quando forem adultos, como diabetes, hipertensão, deficiências ósseas.

IOGURTES
Andrea Huang @maternoinfantil_andreahuang

Muitos iogurtes contêm inúmeros ingredientes e é muito importante que você leia todos eles para saber o que realmente está levando para casa! Cuidado com adoçante, corante, conservante, aroma artificial, espessante, por exemplo. O ideal é optar por iogurtes naturais, sem sabor e sem açúcar, nem adoçante! Dê preferência para apenas dois ingredientes: leite e fermento lácteo. O que fazer a criança não aceita o sabor azedinho? Ofereça batido com uma fruta, como manga e banana, e para as maiores de dois anos, pode-se adicionar uma colher de chá de mel.

FIBRAS
Renata Lima @nutrirenatalima

As fibras são essenciais na dieta do ser humano, desde a primeira infância. Elas contribuem para o adequado funcionamento do intestino, órgão tão importante à saúde que recebe o apelido de segundo cérebro, regulam o colesterol e a glicose, promovem saciedade controlando o apetite e o peso. A quantidade ideal de fibra varia de acordo com a faixa etária e com a idade. São encontradas nos grãos integrais, frutas e hortaliças. Lembre de oferecer bastante água ao seu filho sempre que aumentar a ingestão de fibras.

SOPAS
Bruna Grimm @nutribrunagrimm

Elas podem até ser nutritivas, mas as sopinhas têm algumas limitações em relação a estímulos sensoriais e valor nutricional. Tomando sopinha diariamente, o bebê não consegue identificar o sabor individual e a textura de cada alimento, o que é fundamental nesse momento de introdução alimentar. A maioria das sopas tem mais legumes e carboidratos e menos proteínas e alimentos ricos em ferro. Algumas delas apresentam poucas calorias e, com o líquido adicionado, acabam enchendo a barriguinha com baixo valor nutricional e grande volume. Se a introdução alimentar está sendo conduzida com alimentos de texturas variadas e diversidade alimentar, o bebê pode sim compartilhar uma sopa com a família, desde que sem sal.

BISNAGUINHA
Gabriela Penter @gabrielapenter

Pensar em bisnaguinha e não pensar em criança é difícil, não é mesmo? É um pãozinho pequeninho, fofinho e, ainda por cima, a sua embalagem geralmente está associada a algum personagem infantil. O problema é que o seu valor nutricional é muito baixo, é o típico produto que chamamos de "calorias vazias". Na sua composição, o principal ingrediente é farinha de trigo refinada, seguida de açúcar e óleo de soja.
Algumas marcas ainda possuem um pouco de farinha integral, mas mesmo assim estão longe de possuir um alto valor nutricional. A sugestão é que a bisnaguinha não esteja presente como rotina na alimentação dos pequenos, e sim pãezinhos que possuam um melhor valor nutricional como integrais e com grãos em sua composição.

BOLACHA ÁGUA E SAL
Alice Bastos @alicebastosnutri

Há gerações essas bolachas são culturalmente oferecidas para crianças pequenas. A ideia de que contêm como ingredientes farinha, água e sal está bem distante da sua real composição. Na verdade, todas as marcas encontradas no mercado vão conter uma mistura de farinha, óleo vegetal ou margarina, açúcar, sal, aroma e conservantes. Estes ingredientes são considerados pela ciência como fortemente prejudiciais à saúde da criança, fortes gatilhos para alergias, alterações de colesterol e glicose, hiperatividade e obesidade. Elas podem ser substituídas por biscoitos caseiros, como de polvilho ou de arroz, que não contenham conservantes e açúcar na composição.

BOLACHA MARIA
Carolina Vaccaro @nutricarolinavaccaro

Muitas famílias ainda pensam que a bolacha Maria é uma boa opção de lanche para ser oferecido às crianças. Apesar de parecer inocente e com pouca caloria, este biscoito não é uma escolha saudável do ponto de vista nutricional. Os ingredientes, por si só, já nos indicam isso. Além de possuir poucas fibras, por ter como seu principal constituinte a farinha branca, há ainda uma quantidade abusiva de açúcar, bem como gordura saturada, químicos e aromas artificiais. Estes últimos garantem a validade e o sabor da bolacha, podendo ser muito prejudiciais à saúde dos pequenos. Então, o importante é sempre ler os rótulos para optar por versões integrais e com nutrientes caseiros.

CHOCOLATE
Fernanda Seleghini @f.seleghini.nutri

O Ministério da Saúde recomenda que não seja ofertado açúcar e produtos que contenham esse ingrediente para crianças com até dois anos de vida. Como os chocolates possuem uma elevada quantidade de açúcar em sua composição, não são recomendados para crianças pequenas. Nem mesmo um pedacinho! O consumo precoce de açúcar pode acarretar vários males como: cárie, placa bacteriana, dificuldade em aceitar legumes, verduras e outros alimentos saudáveis, aumento da chance de ganho excessivo de peso durante a infância e possível desenvolvimento de obesidade e outras doenças na fase adulta.

GELATINA
Bruna Grimm @nutribrunagrimm

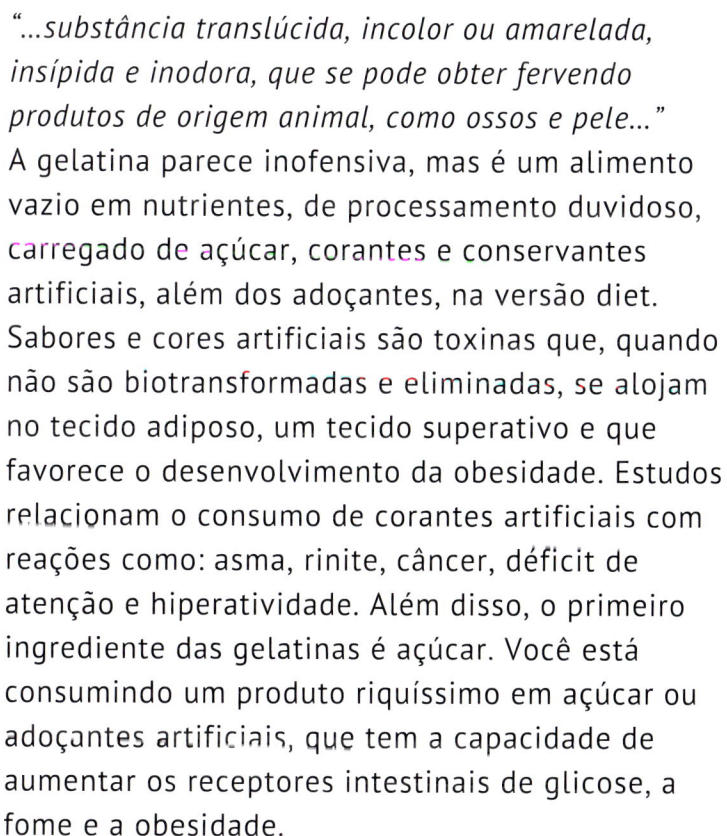

"...substância translúcida, incolor ou amarelada, insípida e inodora, que se pode obter fervendo produtos de origem animal, como ossos e pele..."
A gelatina parece inofensiva, mas é um alimento vazio em nutrientes, de processamento duvidoso, carregado de açúcar, corantes e conservantes artificiais, além dos adoçantes, na versão diet. Sabores e cores artificiais são toxinas que, quando não são biotransformadas e eliminadas, se alojam no tecido adiposo, um tecido superativo e que favorece o desenvolvimento da obesidade. Estudos relacionam o consumo de corantes artificiais com reações como: asma, rinite, câncer, déficit de atenção e hiperatividade. Além disso, o primeiro ingrediente das gelatinas é açúcar. Você está consumindo um produto riquíssimo em açúcar ou adoçantes artificiais, que tem a capacidade de aumentar os receptores intestinais de glicose, a fome e a obesidade.

AÇÚCAR
Luciana Nunes @luciananunesnutri

Recomenda-se que crianças pequenas não tenham contato com açúcar até o segundo ano de vida, pois já temos evidências que até essa idade a criança passa por uma programação metabólica que é decisiva para a saúde do ser humano. O que acontece nesse período pode ter repercussões por toda a vida. São inúmeros os motivos para não oferecer açúcar ao bebê, entre eles:

- O açúcar branco é caloria vazia. O consumo do açúcar aumenta o risco de obesidade, diabetes.
- A partir de um ano de idade, o apetite diminui e eles entram em uma fase que geralmente apresentam seletividade alimentar, então a exposição ao açúcar poderá levar a piora dessa seletividade, viciando o paladar. O açúcar mascara o sabor original do alimento, o bebê pode recusar os alimentos não adoçados, e também pode ocasionar o surgimento de cáries.
- A criança não precisa de açúcar, essa necessidade é do adulto. O carboidrato que precisa para obter energia está presente nas frutas e nos alimentos *in natura* em quantidade suficiente.

ADOÇANTES
Luciana Nunes @luciananunesnutri

Sempre gosto de ajudar as famílias a pensar sobre o real sentido do uso de determinados ingredientes, como o uso do adoçante. Sempre gosto de entender se realmente é necessário o uso, uma vez que conhecemos vários malefícios do consumo de adoçantes artificiais como causas de inúmeros sintomas que vão desde náuseas, ganho de peso em excesso, compulsão alimentar, irritabilidade, entre outros. Aconselho adoçar as receitas e preparações com o próprio açúcar das frutas ou então com frutas secas. O ideal é não habituar o paladar a sabores muito doces. Os adoçantes só são indicados se tivermos uma necessidade real. Se a criança não apresenta nenhum quadro de doença ou alteração clínica grave, indico o consumo do açúcar natural dos ingredientes com equilíbrio.

CAFÉ
Sabrina Orlandin @nutricionistamaterno.infantil

Muitas famílias incluem o café com leite na rotina alimentar das crianças com menos de dois anos! Mas esse alimento pode ser oferecido para elas? A mucosa gástrica do bebê não é madura o suficiente para receber a cafeína, podendo agredir e causar irritações no estômago, cólicas e refluxo gástrico.

Além disso, sabemos que pode deixar o bebê mais agitado e com o sono alterado. E, o mais importante, ela interfere na absorção do ferro dos alimentos, podendo levar à anemia.

O ideal é esperar que a criança complete os dois anos para oferecer, de forma esporádica, uma quantidade máxima de meia xícara de café diluído com leite, em horários distantes das refeições principais. O café com leite pode ser substituído por vitaminas de frutas, chás, leite com cacau e sucos de frutas.

PASTA DE OLEAGINOSAS
Anna Carolina Ghedini e Priscila Pedrosa @nutriped

Amendoim, castanhas, nozes e avelã sem açúcar e sem sal podem ser oferecidas para o bebê desde a introdução alimentar, porém, por apresentarem uma consistência dura, não é seguro oferecer na forma inteira para a criança. Pode ser oferecido de forma triturada como uma farofinha ou em pasta. Os bebês têm uma janela imunológica dos seis aos nove meses, quando o risco de desenvolver alergia é menor. A sensibilização com os nuts ajuda na prevenção. Então, ofereça pastas de nuts para seus filhos, seja em forma de receitas ou puras com frutas.

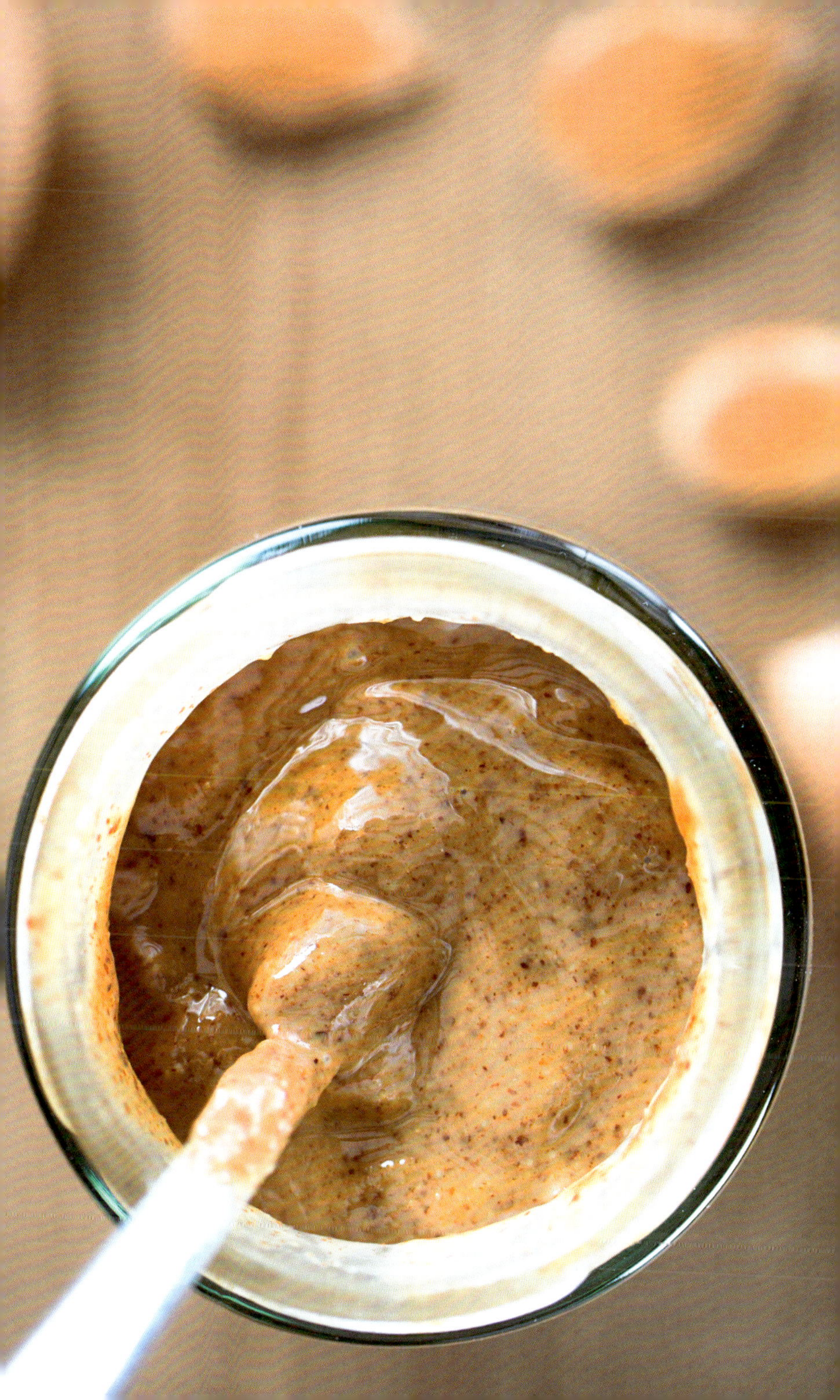

LEITE DE VACA E DERIVADOS
Carolina Vaccaro @nutricarolinavaccaro

O leite de vaca não é considerado um alimento adequado às crianças abaixo de um ano de idade. O leite possui baixos teores de ácidos graxos essenciais, inadequada relação caseínas-proteínas do soro, bem como altas taxas de sódio. Estes fatores comprometem a digestibilidade e contribuem para a elevação da carga renal de soluto no bebê. A partir do primeiro ano de vida, os leites e derivados estão permitidos e indicados, pois são ricos em cálcio, indispensável para o crescimento dos ossos. O leite mais indicado é o integral, pois possui mais gordura, importante na infância. Em relação aos queijos, atente para a quantidade de sal. E, claro, opte sempre pelos alimentos mais naturais e sem conservantes.

FÓRMULA, LEITE EM PÓ E COMPOSTO LÁCTEO

Silvia Freaza @silviafreazamaternoinfantil

Produtos lácteos são ricos em nutrientes, principalmente proteína e cálcio. Porém, eles têm composição variada. Entenda a diferença:
- Fórmula infantil: leite de vaca modificado é a melhor alternativa para bebês quando a amamentação não é possível.
- Leite em pó: produto obtido por desidratação do leite de vaca, contém proteínas, açúcares, gorduras e outras substâncias minerais próprias do leite. É o leite de vaca desidratado. Não é indicado para crianças menores de um ano.
- Composto lácteo: produto resultante da mistura de leite com outros ingredientes, geralmente contém açúcar e aditivos alimentares. Não é indicado para crianças menores de um ano e não substitui o leite materno.

PEIXES
*Carol Bandeira @carolbbandeira_*

De acordo com a Sociedade Brasileira de Pediatria e o Ministério da Saúde, as recomendações atuais são que o peixe seja introduzido desde o início da alimentação complementar, que se dá aos seis meses de vida do bebê. Isso porque precisamos aproveitar a janela imunológica da introdução alimentar para que a criança seja exposta a todos os tipos de alimentos alergênicos, e peixe é um deles. Com isso, para oferecer o peixe, precisamos levar em consideração os mais leves e com menos espinhas, como tilápia, pescada, linguado, badejo e robalo. Depois, podemos oferecer salmão, atum… porém precisamos cuidar com as espinhas e também com os peixes contaminados por metais pesados. Cozinhe com gorduras saudáveis como azeite de oliva, evitando frituras por imersão!

CARNES
Gabriela Andrades @nutrigabrielaandrades

Uma dúvida muito frequente, que surge com o início da alimentação complementar, é quando podemos oferecer carne aos bebês. Muitos pais acreditam que a carne deve ser oferecida somente quando a criança já for grandinha, por medo de que o bebê irá se engasgar com os pedacinhos, mas a verdade é que a carne pode ser oferecida já no primeiro momento da introdução alimentar! Os estoques de ferro que o bebê acumula desde a gestação começam a cair aos seis meses, o que aumenta o risco de anemia ferropriva, por isso seu consumo deve ser encorajado! Mesmo sem os dentinhos, a gengiva do bebê consegue triturar a carne, portanto ela não deve ser passada na peneira ou no liquidificador. Se não é de seu desejo oferecer carne para o bebê, é importante lembrar que ele deverá ter uma alimentação composta por fontes vegetais com ferro!

MINHAS REDES SOCIAIS

Meu contato com os alimentos veio desde cedo na cozinha da minha Vó Udi, em Veranópolis. O Guria Natureba nasceu no Instagram em maio de 2014 por incentivo do meu irmão Paulo, que me via testando receitas sem parar. Ele dizia que eu "deveria dividir com as pessoas o que aprendi sozinha". Amava ler as revistas *Saúde*, que meu avô Paulo assinava, e aprendia com muita facilidade quando o assunto era alimentação saudável. O GN surgiu como um livro de receitas online.

Em fevereiro de 2015 fui morar nos Estados Unidos. Estudei Gastronomia Saudável em Nova York e Los Angeles e retornei ao Brasil com o objetivo de dar aulas e incentivar as pessoas a viverem melhor e com mais saúde. Em 2018 gravei um curso online para poder alcançar um número maior de pessoas mundo afora. Em 2019 fiz minha estreia no YouTube com o Canal Guria Natureba. Ainda em 2019 fui eleita uma das três primeiras colocadas no Top of Mind RS, na categoria Influenciadora Digital.

Hoje, sou considerada pelas grandes marcas do Brasil a Influenciadora Digital gaúcha de maior destaque e relevância no ramo da Gastronomia Saudável, o que me enche de orgulho e alegria.

Se você ainda não conhece as minhas redes sociais, convido, com muito carinho, que me acompanhe no Instagram pelo @gurianatureba e pelo YouTube Guria Natureba. Te espero lá com muitas receitas gostosas e dicas incríveis!

AGRADECIMENTOS

Agradeço a minha família que acompanha todos os meus passos, vibra comigo e se orgulha tanto de mim. Isso me enche de energia e me faz ter certeza de que estou no caminho certo.

Minha mãe Vania e meu pai Mário, obrigada pelo apoio diário e por terem aceitado com tanta compreensão a minha nova profissão. Minha experiência como arquiteta me trouxe habilidades para criar cada pequeno detalhe da diagramação deste lindo trabalho. Esse livro também é de vocês!

Agradeço a minha irmã Juliana e ao meu irmão Paulo, meus grandes amigos, que me deram duas preciosidades e me fizeram experimentar uma forma de amor que eu até então desconhecia. Manu e Ulisses, vocês são tão pequenos ainda, nem imaginam o tamanho da inspiração que foram no desenvolvimento desse livro.

Agradeço muito ao meu namorado, que desde o início me incentivou fortemente a fazer este livro. Denis, sem teu incansável estímulo, esse livro não estaria nas nossas mãos hoje. Muito obrigada pela insistência e por acreditar tanto em mim. Isso fez toda a diferença!

E obrigada a vocês, meus fãs e seguidores fiéis, que me acompanham nas redes sociais, que vibram comigo e que me ajudam a solidificar este trabalho que tem ficado mais bonito e completo a cada dia!

lepmeditores
www.lpm.com.br
o site que conta tudo

IMPRESSÃO:

PALLOTTI
GRÁFICA

Santa Maria - RS | Fone: (55) 3220.4500
www.graficapallotti.com.br